D0835927

Sternzeichen
Löwe

– Liebe, Partnerschaft, Beruf –

© Naumann & Göbel Verlagsgesellschaft mbH in der
VEMAG Verlags- und Medien Aktiengesellschaft, Köln
Autor: Alfred P. Zeller
Gesamtherstellung: Naumann & Göbel Verlagsgesellschaft, Köln
Alle Rechte vorbehalten
Dieses Werk berücksichtigt die neue deutsche Rechtschreibung.
ISBN 3-625-10484-9

Vorwort

In diesem Buch werden Sie auf astrologischer Grundlage viel über sich erfahren. Manches davon haben Sie vielleicht schon gewusst oder zumindest geahnt. Sehr viel mehr jedoch wird für Sie völlig neu sein, wird Ihnen überraschende Erkenntnisse über Fähigkeiten und Kräfte vermitteln, die in Ihnen schlummern. Dadurch können sich Ihnen bislang ungeahnte Möglichkeiten für eine befriedigendere und erfolgreichere Gestaltung Ihres Lebens eröffnen. Aber auch über Ihre Schwächen und Mängel erhalten Sie hier Auskunft, und das ist für Sie fast ebenso wichtig: Nur wenn Sie Ihre Fehler erkennen, können Sie dagegen ankämpfen und dadurch erreichen, dass Ihnen weniger misslingt und das Zusammenleben mit den Mitmenschen reibungsloser und erfreulicher wird.

Astrologie ist weder eine verstaubte Geheimwissenschaft noch eine fragwürdige Zukunftsdeutelei, und erst recht ist sie kein bequemer Vorwand, sich mit dem Hinweis auf einen angeblichen »Schicksalszwang« der Gestirne persönlicher Verantwortung zu entziehen. Vielmehr ist sie die älteste, auf jahrtausendelanger Beobachtung und Bezugsetzung kosmischen und irdischen Geschehens gründende Erfahrungswissenschaft der Menschheit, mit der sich zu allen Zeiten die fortschrittlichsten Geister ihrer Zeit befasst haben, um die Zeitenwende der Universalgelehrte Ptolemäus ebenso wie an der Schwelle zur Neuzeit der große Arzt Paracelsus, der Humanist Melanchthon und die Begründer

der modernen Astronomie und Naturwissenschaft: Kopernikus, Galilei und Kepler. Auch in Goethes Werken ist viel astrologisches Gedankengut lebendig. Astrologie geht von der Erkenntnis aus, dass der Mensch kein isoliertes, abgekapseltes Lebewesen ist, sondern eingebettet ist in ein soziales, geographisches und kosmisches Umfeld, in ein Geflecht von subtilen Beziehungen, die ihn vielfach prägen und beeinflussen. Kosmische »Uhren« steuern alle Lebensvorgänge auf der Erde, kosmisches Geschehen bewirkt den Wechsel von Tag und Nacht, den Ablauf der Jahreszeiten, die Folge von Ebbe und Flut. Alle grundlegenden Lebensvorgänge sind in der Natur im Ganzen oder im Einzelnen kosmisch geprägt und geregelt. Dass dabei auch Strahlungen, die aus dem Weltall zu uns gelangen, eine bedeutsame Rolle spielen, hat man erst in jüngster Zeit entdeckt oder besser gesagt wieder entdeckt, denn unsere Vorfahren haben das schon vor Jahrtausenden intuitiv geahnt.

Kosmisch geprägt wird allerdings nicht eine leere Form, sondern ein individuelles Lebewesen, das von seinen Eltern genetisch verankerte Erbanlagen mitbekommen hat. Wie die genetischen und kosmischen Anlagen verwirklicht werden können, hängt wesentlich vom Umfeld ab, in dem sich das Leben entfaltet. Deshalb reicht ein Horoskop allein nicht aus, um einen Menschen in seiner ganzen Vielfalt zu erfassen und seinen Lebensweg zu erklären.

Seriöse Astrologie bezieht in die Horoskopdeutung stets auch den Horoskopeigner selbst und sein soziales Umfeld mit ein. Astrologie zeichnet keine Zwangsläufigkeiten vor, sie will und kann keine persönlichen Entscheidungen abnehmen oder aufdrängen, sondern vielmehr dem Menschen durch das Aufzeigen seiner Möglichkeiten und Grenzen helfen, die richtigen Entscheidungen zu treffen, will ihm so eine praktische Lebenshilfe sein.

Dieses Buch ermöglicht es Ihnen, zu entdecken, welche Wesenszüge und Fähigkeiten die kosmische Prägung Ihnen gegeben hat, weist Sie auf Ihre Stärken und Entwicklungsmöglichkeiten, aber auch auf Ihre Schwächen und Gefährdungen hin. Das im ersten Teil gezeichnete Bild beruht auf den beiden wichtigsten Gegebenheiten des Geburtshoroskops, dem Sonnenzeichen und dem Aszendenten, und wird vertieft durch die Aussagen der chinesischen und indianischen Astrologie sowie des keltischen Baum-Horoskops.

Ihr Sonnenzeichen ist das Sternbild, in dem am Tag Ihrer Geburt die Sonne stand; es ist der wichtigste kosmische Prägefaktor. Um eine genauere Differenzierung zu erreichen, teilt man von alters her jedes Tierkreiszeichen in drei Dekaden ein: In der ersten Dekade ist noch ein sich abschwächender Einfluss des vorangehenden Sonnenzeichens wirksam, in der dritten Dekade ein zunehmender Einfluss des folgenden Sonnenzeichens, während sich in der zweiten Dekade die benachbarten Sonnenzeichen nicht auswirken. Dementsprechend ist der Abschnitt »Wer bin ich?« (ab Seite 12) in drei Dekaden gegliedert, so dass Sie je nach Geburtstag die für Sie zutreffende Aussage finden können.

Bedeutsam ist auch ein zweiter kosmischer Prägefaktor, der Aszendent. Darunter versteht man das Tierkreiszeichen, das im Augenblick Ihrer Geburt am östlichen Horizont stand. Der Aszendent verstärkt, schwächt oder variiert die Prägung durch das Sonnenzeichen, weshalb wir ab Seite 49 näher darauf eingehen. Wie Sie Ihren Aszendenten finden, können Sie ab Seite 82 nachlesen.

Während das indianische Horoskop mit seiner Zwölfteilung unserem abendländischen Horoskop entspricht, weichen das chinesische und das keltische Horoskop davon ab. Deshalb finden Sie in den entsprechenden Abschnitten je nach Ihrem Geburtsdatum differenzierte Aussagen, durch welche Ihre individuellen Gegebenheiten genauer eingegrenzt werden.

Verlag und Autor

Inhalt

III.
Mein persönlicher Aszendent 82

IV.
Wichtige Daten und Ereignisse 115

Tierkreiszeichen auf einer persischen Schale.
Entstanden um 1563.

Messahalah, Der Astronom, 1504

I.
Meine kosmische Prägung

Mein Tierkreiszeichen und Planet

Ihr Tierkreiszeichen ist Löwe, Ihr Planet die Sonne (die traditionelle Astrologie bezeichnet auch Sonne und Mond als Planeten; wir verwenden den Ausdruck »Gestirn«).

Löwe ist ein fixes Feuerzeichen mit Plus-Polarität. Fix oder fest nennt man die auf kardinale Zeichen folgenden Zeichen mit mittlerer Intensität. Das Zeichen Löwe symbolisiert Entschlossenheit, überstarke Ichbetonung, Herrschsucht, Unbedachtsamkeit und Verwundbarkeit. Als dem Element Feuer zugeordnetes Zeichen steht es für aktives Tun (Leitwort »Angriff«), Durchsetzungskraft, starken Persönlichkeitswillen. Die dadurch bestimmten Haupteigenschaften sind Mut, Unternehmungsgeist, Eigenwille, Strebsamkeit und Fleiß, aber auch Gefahr der Unbedachtsamkeit, Unbeständigkeit und mangelnden Anpassungsfähigkeit. Die Polarität gibt die Wirkrichtung eines Tierkreiszeichens an. Positive Zeichen wirken von innen nach außen, negative Zeichen von außen nach innen. Löwe ist ein Zeichen mit Plus-Polarität, also ein »aktives« Zeichen, das aktives Handeln und zupakkende Tatkraft symbolisiert.

Die astrologischen Grundqualitäten des Sommerzeichens Löwe lassen sich unter dem Kennwort »extravertierte Weltergreifung« zusammenfassen. Im Einzelnen symbolisiert das Zeichen optimistische Tatkraft, selbstbewusste Autorität, ichbetontes Wollen, starke Sinnlichkeit, Erfolgsorientierung. Allerdings kann das zu Egoismus, Überheblichkeit, Triebhaftigkeit und maßloser Selbstüberschätzung übersteigert sein. Besonders stark ist die Prägekraft des Zeichens, wenn in ihm nicht nur zum Zeitpunkt der Geburt die Sonne gestanden hat, sondern auch der Aszendent in ihm liegt.

Die Sonne auf einem einrädrigen Wagen, dessen Rad
das einzige Domizil Löwe ist.
Holzschnitt von Hans Sebald Beham 1530/40

Jedem Tierkreiszeichen ist das Gestirn zugeordnet, dessen Prinzip ihm am vollkommensten entspricht; das jeweilige Gestirn bezeichnet man als »Planetenherrscher«. Im Zeichen Löwe »herrscht« die Sonne, deren energetisches Prinzip die Lebenskraft ist. Sie symbolisiert Tatkraft, Selbstbehauptung, Selbstgestaltung, Lebensbejahung, starken Willen, im Negativen freilich auch Selbstsucht, Despotismus, Machtgier, Unduldsamkeit, Großspurigkeit, Anmaßung.

Wenn in Ihrem persönlichen Horoskop die Sonne in Ihrem Sonnenzeichen Löwe steht, verstärkt sie entsprechend den nachfolgend genannten Sonne-Eigenschaften gleich gerichtete Prägekräfte Ihres Tierkreiszeichens und bestimmt wesentlich die »Grundqualität« Ihres Horoskops.

Positive Sonne-Eigenschaften sind: Vitalität, Willenskraft, Machtentfaltung, Standhaftigkeit, Zielbestimmtheit, Gestaltungskraft, Großzügigkeit, Ehrgeiz, Leistungswille, Begeisterungsfähigkeit, schöpferische Intelligenz, innere Konzentration, Klarheit, Lebensbejahung, Mut, Durchsetzungskraft, Autorität, Führungskraft, Freiheitswille, Selbstsicherheit, distanzierte Herzlichkeit, Beherrschtheit, Ritterlichkeit, Gewähltheit im zwischenmenschlichen Umgang.

Negative Sonne-Eigenschaften sind: Ichbezogenheit, starres Verharren auf eigenen Standpunkten, Despotismus, Unduldsamkeit, Ehrsucht, Machtgier, Rücksichtslosigkeit, Anmaßung, Großspurigkeit, mangelndes Verantwortungsgefühl, übermäßige Risikobereitschaft bis zum Spekulantentum, Unbedachtsamkeit, Selbstüberschätzung, übertriebene Ansprüche an das Leben, Verschwendungs- und Genusssucht, Unterdrückung Schwächerer, Neigung zum Selbstbetrug.

Seit alters gibt es für die Tierkreiszeichen und Planeten symbolische Bezugsetzungen, die freilich für die heutige Individualhoroskopie keine große Bedeutung mehr haben. Immerhin interessieren sich noch viele Menschen dafür. Hier also Ihre Symbolbezüge:

Ihr Element ist das Feuer.

Ihre Farben sind Orange, Gold und Gelb.

Ihr Temperament ist das cholerische.

Ihr Metall ist das Gold.

Ihre Edelsteine sind Rubin, Diamant, Hyazinth, Goldtopas und Tigerauge.

Ihr Wochentag ist der Sonntag.

Ihre Tiere sind Löwe, Adler, Phönix, Pfau, Hahn und Fasan (Goldfasan).

Ihre Pflanzen sind Sonnenblume, Palme, Lorbeer, Esche, Orange, Lotosblume, Rosen, Pfingstrosen, Löwenzahn und Himmelsschlüssel.

Ihre Zahlen sind die Eins und die Vier.

Wer bin ich?

Aus dem Sonnenstand am Tag Ihrer Geburt lassen sich grundsätzliche Aussagen ableiten, die freilich auf Ihren Aszendenten (siehe Seite 49 und dritter Teil dieses Buches) abgestimmt werden sollten. Über die Einteilung jedes Tierkreiszeichens in drei Dekaden informiert Sie das Vorwort auf Seite 5. Je nachdem, ob Sie in der ersten, zweiten oder dritten Dekade geboren sind, wirken sich verschiedene »typische« Prägekräfte Ihres Sonnenzeichens in unterschiedlicher Weise auf Sie aus.

Sterndeuter.
Aus einem Planetenbuch von 1596

1. Dekade vom 23.07. bis zum 02.08.

Ihr Wesen:	verstandesgeleitet, extravertiert, selbstbewusst, dynamisch, eher konservativ
Ihr Auftreten:	selbstsicher, bestimmt, temperamentvoll, offen, gewinnend, herzlich, manchmal überheblich, selbstherrlich, großspurig
Ihr Wünschen:	ichbezogen, ehrgeizig, aber selten rücksichtslos, auf Beachtung und Anerkennung bedacht, hilfsbereit, manchmal herrschsüchtig, zur Selbstüberschätzung neigend
Ihr Denken:	positiv, zielgerichtet, einfallsreich, selbstständig, ganzheitlich ausgerichtet, kritisch, manchmal oberflächlich
Ihr Handeln:	selbstständig, entschlossen, impulsiv, risikobereit, improvisierend, großzügig, manchmal voreilig, selbstsüchtig, wenig ausdauernd
Ihr Ausdruck:	klar, offen, direkt, selbstbewusst, kritisch, überzeugend, kultiviert, manchmal unverblümt und verletzend
Ihr Fühlen:	verhalten, warmherzig, oft von leidenschaftlicher Dynamik, stolz, sinnenfreudig, manchmal besitzergreifend, eifersüchtig, triebhaft

Auf den ersten Blick sind das sicherlich viele gute Eigenschaften, aber ganz so ungetrübt ist das Bild bei näherer Betrachtung doch nicht: Ihre starke Ichbezogenheit und ein ausgeprägtes Selbstbewusstsein, das zur Selbstherrlichkeit werden kann, bergen die Gefahr egoistischer Rücksichtslosigkeit, die Sie in die Versuchung bringt, sich allzu großzügig über die Interessen und Belange Ihrer Mitmenschen hinwegzusetzen. Wenn Sie ganz am Anfang der ersten Löwe-Dekade geboren sind, kann sich freilich noch das Nachbarzeichen Krebs auswirken, das Ihnen mehr Zurückhaltung, Vorsicht, Sensibilität und Mitgefühl verleiht.

Sie sind ein Mensch der Tat, selbstsicher, optimistisch, umgänglich, offen und warmherzig. Sie fühlen sich nicht zum Jasager und Befehlsempfänger geboren, sondern streben im Bewusstsein Ihres eigenen Wertes nach einer führenden Position, wollen sich nicht von anderen Menschen oder äußeren Umständen bestimmen lassen, sondern selbst das Heft in die Hand nehmen, nach Ihren eigenen Vorstellungen Ihr Leben und ihre Umwelt gestalten. Früh schon beziehen Sie Positionen, die Sie entschieden verteidigen. Diese Standpunkte können in jungen Jahren recht progressiv sein, aber da Sie wenig anpassungswillig sind, halten Sie auch dann noch an Ihren Meinungen fest, wenn sie durch den Gang der Dinge längst eingeholt oder überholt sind, und so kommt es, dass viele Löwe-Geborene in reiferem Alter ausgesprochen konservativ sind. Sie selbst halten von solchen Wertungen allerdings wenig, denn Sie sind so stark in sich selbst zentriert, dass für Sie immer dort »vorn« und »oben« ist, wo Sie stehen. In diesem Mittelpunktsgefühl wurzelt Ihre Selbstsicherheit; es gibt Ihnen die Überzeugung, über ein schier unerschöpfliches Energiepotenzial und über herausragende Fähigkeiten zu verfügen, die Sie von der Mehrzahl Ihrer Mitmenschen abheben. Fest glauben Sie daran, mit Ihren außergewöhnlichen Gaben alles erreichen zu können, was Sie sich in den Kopf gesetzt haben. Dieses optimistische Lebensgefühl wirkt häufig ansteckend, so dass Ihre Mitmenschen bereit sind, Ihnen die führende Rolle einzuräumen, die Sie beanspruchen. Weniger stark in den Vordergrund drängen Sie nur, wenn noch ein deutlicher Einfluss des Nachbarzeichens Krebs gegeben ist.

Als Löwe-Geborener lieben Sie es, im Mittelpunkt zu stehen, von den Mitmenschen beachtet und anerkannt zu sein. Trotz der Eigenständigkeit, auf die Sie so sehr pochen, sind Sie in gewissem Umfang von Lob und Beifall abhängig; es trifft Sie tief, wenn Ihre Fähigkeiten und Taten nicht so gewürdigt werden, wie sie es nach Ihrer Meinung verdienen. Diese Abhängigkeit macht Sie anfällig für Schmeicheleien, was nicht ganz ungefährlich ist:

Wer Ihre Schwäche kennt, kann durch gezielte Lobhudelei nicht nur Ihre Großzügigkeit ausnützen, sondern Sie auch in gewissem Umfang steuern und für seine eigenen Pläne einsetzen. Die von Ihnen ausstrahlende Überzeugungskraft beruht keineswegs ausschließlich auf der Kunst der Selbstdarstellung, die Sie oft meisterlich beherrschen, sondern in der Regel auch auf Ihren echten Qualitäten, auf Ihrer willensstarken Zielsicherheit, Ihrem praktisch orientierten Organisationstalent, Ihrer überdurchschnittlichen Leistungsfähigkeit und Ihrem Vermögen, für Ihre meist weitgesteckten Pläne erstaunliche Kraftreserven zu mobilisieren. Da Ihr Selbstwertgefühl kaum je von Zweifeln angekränkelt wird, scheinen Sie immer genau zu wissen, was Sie wollen, und völlig sicher zu sein, dass Sie Ihre Vorhaben verwirklichen können. Deshalb vertrauen sich andere Ihrer Führung gern an, ordnen sich unter, lassen sich von Ihrem Schwung mitreißen. Unreife Löwe-Geborene kommen dadurch in Versuchung, andere für eigensüchtige Pläne einzuspannen, sie als Trittleiter für den eigenen Aufstieg zu benutzen, und was ihnen an echten Qualitäten fehlt, versuchen sie durch Bluff und Großspurigkeit zu ersetzen. Auf diese Weise erzielte »Erfolge« sind freilich nicht von Bestand, können im Gegenteil bereits Erreichtes gefährden.

Als ein durch sein Mittelpunktsgefühl stabilisierter Löwe-Geborener sind Sie auf Unabhängigkeit und Selbstständigkeit bedacht, wollen gestalten, Richtungen weisen, Dinge in Bewegung bringen. Mit ihrer selbstbewussten Dynamik und zielsicheren Kreativität sind Sie dazu durchaus imstande, doch sollten Sie stets auch einige Ihrer Schwächen im Auge behalten. Unbedachte Impulsivität und übergroße Risikobereitschaft können manchen Ihrer weitzielenden Pläne von vornherein zum Scheitern verurteilen, weil Sie entweder überstürzt in eine falsche Richtung losmarschieren oder Ihre Schritte nicht sorgfältig genug absichern. Zwar können manche der kalkulierten Wagnisse, die Sie eingehen, höchst erfreuliche Erfolge einbringen, aber Sie sollten sich davor hüten, sich dadurch zu immer riskanteren Unternehmungen verleiten zu lassen, denn je höhere Einsätze Sie ohne vernünftige Absicherung wagen, desto größer wird die Gefahr empfindlicher Verluste. Das gilt nicht nur in finanzieller Hinsicht, sondern für Ihr ganzes Handeln. Sie haben zwar einen Blick für die große Linie, übersehen jedoch dabei häufig wichtige Details, weil Sie sich mit Kleinigkeiten nicht gern abgeben. Vergessen Sie jedoch nicht, dass auch weitestgespannte Pläne gerade an solchen nicht ins Kalkül einbezogenen Details scheitern können. Wenn Sie am Anfang der ersten Löwe-Dekade geboren sind, ist diese Gefahr bei Ihnen allerdings geringer, weil ein Einfluss des Nachbarzeichens Krebs Ihnen zu mehr bedachter Vorsicht und Gewissenhaftigkeit verhilft.

Sie sind zwar stark ichbezogen, stellen an sich und Ihre Mitmenschen hohe Anforderungen, verlangen Beachtung und Anerkennung und wissen Ihre Interessen gut zu vertreten, doch ein rücksichtsloser Egoist, der sich auf Kosten anderer hochzuboxen versucht, sind Sie im Normalfall nicht. In der Regel sind Sie großzügig sowohl sich selbst als auch Ihren Mitmenschen gegenüber: »Leben und leben lassen« ist Ihr Grundsatz. Auch wenn Sie es häufig geschickt verstehen, andere für Ihre Interessen einzuspannen, ausnützen wollen Sie sie nicht, und wenn die angepeilten Erfolge erreicht sind, lassen Sie Ihre – manchmal unwillentlichen – Helfer gern daran teilhaben. Meist sind Sie bereit, über Fehler und Nachlässigkeiten von Mitmenschen großmütig hinwegzusehen, doch wenn Sie dadurch betroffen oder geschädigt werden, halten Sie mit beißender Kritik nicht zurück.

Andererseits trifft es Sie in Ihrem Stolz tief, wenn Sie eigene Fehler sich oder anderen eingestehen sollen. Es gehört zu Ihrem Selbstwertgefühl, dass Sie sich selbst gegenüber nicht sonderlich kritisch sind, sich weit eher über- als unterschätzen. Das kann ganz konkrete Gefahren mit sich bringen, denn nicht selten verleitet Sie das Vollgefühl Ihrer Kräfte dazu, mit Ihrem Energiepotenzial bedenkenlos Raubbau zu treiben, weil Sie sich und der Mitwelt unablässig Beweise Ihrer unerschöpflichen Potenz liefern wollen. Potenz ist hier im weitesten Sinn gebraucht und bezieht sich ebenso auf Ihre Arbeitskraft wie auf Ihres Liebesfähigkeit – in beiden Hinsichten neigen Sie zu einer auf Dauer nicht unbedenklichen Maßlosigkeit.

Die Großzügigkeit der Löwe-Geborenen wird in der Regel auch in der äußeren Erscheinung und im Lebensstil sichtbar. Sie lieben die Zurschaustellung, die große Geste, wobei Sie stets Ihre Individualität betonen. Kleidung und Wohnung sind häufig extravagant, repräsentativ und spiegeln den erstrebten und häufig auch erreichten herausgehobenen Lebensstandard. Um diesen der Mitwelt vor Augen zu führen, treiben Sie einen recht hohen Aufwand. Allerdings sollten Sie in dieser Hinsicht auf der Hut sein, denn in Gelddingen haben Sie nicht immer eine glückliche Hand.

Maßlosigkeit, Selbstherrlichkeit, unbedachte Risikobereitschaft und Selbstüberschätzung sind Gefahren, deren Sie sich bewusst sein sollten. Nur wenn Sie zur Einsicht fähig sind, dass auch Ihnen – wie jedem Menschen – Grenzen gesetzt sind, werden Sie Ihre vielen positiven Anlagen so einsetzen können, dass Sie Ihre ehrgeizigen Ziele und die herausgehobene berufliche und soziale Position erreichen. Wenn Sie ein echter Löwe-Geborener sind, werden Sie bei Ihren Planungen nicht nur den eigenen Nutzen im Visier haben, sondern darauf bedacht sein, dass Ihre reichen Gaben durch Ihr Tun auch Ihrer Mitwelt zugute kommen und Sie auf diese Weise in dem sozialen Gefüge, in das Sie eingebunden sind, tatsächlich die zentrale Rolle spielen, zu der Sie sich berufen fühlen.

2. Dekade vom 03.08. bis zum 12.08.

Ihr Wesen: verstandesorientiert, extravertiert, dynamisch, selbstbewusst, stolz

Ihr Auftreten: bestimmt, offen, selbstsicher, auf Selbstdarstellung bedacht, herzlich, manchmal auch überheblich, großspurig

Ihr Wünschen: ichbezogen, aber nicht rücksichtslos, nach einer führenden Rolle strebend, großmütig, hilfsbereit, zur Selbstüberschätzung neigend, manchmal herrschsüchtig

Ihr Denken:	zielgerichtet, methodisch, selbstständig, kritisch, ganzheitlich ausgerichet, schöpferisch, manchmal recht konservativ
Ihr Handeln:	tatkräftig, entschlossen, selbstständig, risikobereit, großzügig, manchmal unbesonnen, selbstsüchtig, wenig ausdauernd
Ihr Ausdruck:	selbstsicher, offen, klar, überzeugend, mit großer Geste, kultiviert, manchmal scharf und verletzend
Ihr Fühlen:	verstandeskontrolliert, aber warmherzig, oft von leidenschaftlicher Dynamik, sinnenfreudig, nicht selten eifersüchtig, triebhaft

Was Sie in der Regel auszeichnet, ist ein ausgeprägtes Selbstwertgefühl, das nur schwer zu erschüttern ist. Ihre kaum je von Selbstzweifeln angekränkelte Sicherheit beruht auf der tiefwurzelnden Überzeugung, über ein schier unerschöpfliches Energiepotenzial und herausragende Fähigkeiten zu verfügen, ein Mensch von originärer Eigenständigkeit zu sein und mit Hilfe Ihrer außergewöhnlichen Gaben nahezu alles erreichen zu können, was Sie sich vornehmen. Aus dieser Gewissheit leiten Sie auch den Anspruch auf Beachtung und Anerkennung und auf einen Platz im Rampenlicht ab. Sie sind häufig so uneingeschränkt von sich überzeugt, dass sich dies auf Ihre Mitmenschen überträgt und sie deshalb bereit sind, Ihnen die führende Rolle zu überlassen, nach der Sie streben. Ihre Überzeugungskraft ist die Grundlage vieler Ihrer Erfolge.

Ein echter Löwe-Geborener versteht zwar die Kunst der Selbstdarstellung, die ihm vieles erleichtert und ihm die gewünschte Beachtung verschafft, aber sie allein ist nicht das Geheimnis seiner oft auffallenden Durchschlagskraft. Um nach oben zu kommen, setzt er meist keineswegs Überrumpelungs- und Ellenbogentaktiken ein, sondern ist vielmehr bereit, hart zu arbeiten, seine großen Kraftreserven zu mobilisieren und sowohl durch seine Persönlichkeit als auch durch solide Leistung zu überzeugen. Mit besonderer Begeisterung widmet er sich Aufgaben, die Kreativität fordern, hervorragend eignet er sich mit seiner Methodik und seinem Organisationstalent für Planungen, bei denen es um das Abstecken der großen Linien geht, während ihm Detail- und Routinearbeiten sowie das Ausarbeiten von Einzelheiten weniger liegen. Um Kleinigkeiten kümmert er sich ungern – in der Arbeit ebenso wie im täglichen Leben. Besonders wenn eine Aufgabe dazu angetan ist, ihm die Aufmerksamkeit und Anerkennung zu verschaffen, die er grundsätzlich zu verdienen glaubt, ist er imstande, sich ganz und gar darauf einzustellen und notfalls sogar einen Großteil seiner Freizeit dafür zu opfern. In solchen Fällen sind außergewöhnlich qualitätvolle Leistungen zu erwarten, denn mit halben Sachen begnügt er sich nicht; Stümpertum ist ihm bei sich selbst und bei anderen verhasst. Das kann bei Teamarbeiten manchen Konflikt heraufbeschwören, da er an andere ebenso hohe Anforderungen stellt wie an sich selbst und häufig mit Ungeduld und beißender Kritik reagiert, wenn Mitarbeiter den hohen Ansprüchen nicht gerecht weden und die Qualität der Gemeinschaftsarbeit durch Unfähigkeit oder Nachlässigkeit gefährdet wird.

Sie sind stark ichbezogen und in Ihren Ansichten und Einstellungen nicht sehr beweglich. Wenn Sie einmal eine Position bezogen haben, bleiben Sie dabei und lassen sich durch Gegenargumente nur schwer davon abbringen. Das gilt freilich mehr für grundsätzliche Stellungnahmen als für das praktische Leben: Wenn Sie dort erkennen, dass Ihnen ein Umschwenken Vorteile bringt, zeigen Sie sich sehr viel flexibler, ohne indes Ihr Mäntelchen stets nach dem Wind zu hängen. Übermäßig progressiv sind Ihre Positionen selten, doch im Laufe der Zeit können Sie sogar ein ausgesprochen konservativer Mensch werden, weil Sie oft jahrelang auf Standpunkten beharren, die vielleicht einmal zeitgemäß und eventuell sogar revolutionär waren, als Sie sie bezogen haben, inzwischen aber längst überholt sind.

In Ihrer selbstsicheren Ichbezogenheit sind Sie darauf bedacht, die eigenen Interessen zu wahren und durchzusetzen, doch ein rücksichtsloser Egoist, der das bedenkenlos auf Kosten seiner Mitmenschen tut, sind Sie selten. Oft gelingt es Ihnen allerdings mit viel Geschick, andere in Ihre Zielsetzungen einzuspannen, nicht indem Sie sie als Sprossen Ihrer Erfolgsleiter benutzen, sondern indem Sie Teilbereiche Ihres Erfolgsprogramms delegieren, wobei Sie jedoch die Fäden fest in der Hand behalten. Anders gesagt: Sie spannen sie vor den eigenen Karren, sorgen aber auch dafür, dass ihnen ein gebührender Lohn zuteil wird. Wenn das angepeilte Ziel erreicht ist, sind Sie großmütig und großzügig genug, Ihre – willentlichen oder auch unwissentlichen – Helfer am Erfolg teilhaben zu lassen.

Diese Großzügigkeit gehört zu den Wesensmerkmalen der Löwe-Geborenen. Großzügig sind viele Löwe-Geborene sich selbst und anderen gegenüber; Kleinkariertes ist ihnen prinzipiell zuwider, Krämergeist verhasst. Da Sie ein extravertierter, also nach außen gewandter, auf Selbstdarstellung bedachter Mensch sind, macht sich diese Großzügigkeit häufig auch in Ihrem Auftreten, in Ihrer Kleidung und in der Gestaltung und Einrichtung Ihrer Wohnung bemerkbar. Großen Wert legen Sie auf einen repräsentativen äußeren Rahmen als Merkmal eines gehobenen Lebensstils, der nach außen hin deutlich sichtbar sein soll. Sie lieben die Zurschaustellung, die große Geste, und unterstreichen Ihr Erscheinungsbild zuweilen durch modisch-extravagante Kleidung. Diese muss freilich nicht unbedingt geschmackssicher ausgewählt sein, soll jedoch stets herausstreichen, dass Sie ein Individualist sind, der mit nichts und niemandem zu verwechseln ist. Dieses Anderssein, mit dem Sie sich wirkungsvoll in Szene setzen können, lassen Sie sich gern etwas kosten nach dem Motto: Wer etwas leistet, soll sich auch etwas leisten dürfen. Ob Sie sich diesen Aufwand tatsächlich leisten können, müssen Sie selbst beurteilen. Vergessen Sie nicht, dass Sie als Löwe-Geborener in Gelddingen oftmals keine sehr glückliche Hand haben und Ihre materielle Lebensbasis nicht immer mit der erforderlichen Sorgfalt absichern.

Nicht nur durch unbedachte Verschwendung, sondern auch durch Fehlspekulationen können Sie sich in finanzielle Schwierigkeiten bringen, denn als Spielernatur lieben Sie das Risiko und den Kitzel der Spekulation. Materielle Engpässe beschäftigen Sie innerlich weit mehr, als man auf Grund Ihres üblichen sonnigen Optimismus annehmen möchte.

Trotz einem Hang zum Imponiergehabe sind Sie im zwischenmenschlichen Umgang jovial, freundlich, warmherzig, hilfsbereit und großmütig. Zwar neigen Sie gelegentlich dazu, sich durch das fast sprichwörtliche »Löwengebrüll« Aufmerksamkeit zu verschaffen, wenn Sie glauben, nicht gebührend beachtet und anerkannt zu werden, doch das gehört zu dem schon eingangs erwähnten Imponiergehabe und ist keineswegs so ernst gemeint, wie es sich anhört. Nur sehr unreife Löwe-Geborene greifen häufiger zu diesem Mittel, um Eindruck zu machen, während reife Löwen sich mit solchen Ausbrüchen zurückhalten, weil sie wissen, wie rasch sie an Wirkung verlieren. In Auseinandersetzungen kämpft der Löwe-Geborene mit offenem Visier, greift kaum je zu unfairen Mitteln und ist schnell zur Versöhnung bereit, wenn man ihm Gelegenheit gibt, seinen Großmut zu beweisen. Konkurrenzneid ist bei ihm sehr selten. Gefährlich ist es jedoch, ihn in seinem Stolz zu treffen, ihn demütigen und herabsetzen zu wollen. Nichts ist für ihn schlimmer als das Gesicht zu verlieren. In solchen Situationen, die sein Selbstwertgefühl ankratzen, kann er zum unerbittlichen Feind werden, der gnadenlos zurückschlägt.

Ihre starke Ichbezogenheit macht es Ihnen schwer, sich in andere Menschen einzufühlen, ihnen echtes Verständnis entgegenzubringen. Ihr Streben nach Selbstständigkeit und Unabhängigkeit bewirkt, dass Sie innerlich stets auf Distanz bleiben, weil Sie allzu große Nähe als einengend empfinden. Im Vollgefühl eigener Kraft sind Sie darauf bedacht, niemandem etwas verdanken zu müssen, auf niemanden angewiesen zu sein. Dennoch käme auch Ihnen ein tieferes Eingehen auf Ihre Mitmenschen, eine stärkere innere Hinwendung, zweifellos zugute, würde Ihnen manches erleichtern und Sie seelisch bereichern. Lassen Sie sich nicht durch falschen Stolz vom Bemühen um ein engeres Miteinander abhalten.

3. Dekade vom 13.08. bis zum 22.08.

Ihr Wesen:	verstandesgeleitet, extravertiert, selbstbewusst, dynamisch
Ihr Auftreten:	selbstsicher, bestimmt, herzlich, offen, manchmal herrisch, überheblich, anmaßend, großspurig
Ihr Wünschen:	ichbezogen, aber nicht auf rücksichtslose Durchsetzung der eigenen Interessen bedacht, nach Beachtung und Anerkennung strebend, manchmal herrschsüchtig, zur Selbstüberschätzung neigend
Ihr Denken:	positiv, schöpferisch, ideenreich, zielgerichtet, kritisch, ganzheitlich ausgerichtet, großzügig, methodisch, manchmal überheblich
Ihr Handeln:	aktiv, selbstständig, entschlossen, risikobereit, methodisch, zielgerichtet, manchmal unbesonnen, selbstsüchtig
Ihr Ausdruck:	klar, offen, selbstbewusst, kritisch, ehrlich, überzeugend, logisch, kultiviert, manchmal nicht sonderlich diplomatisch
Ihr Fühlen:	verhalten, aber herzlich, oft von leidenschaftlicher Dynamik, sinnenfreudig, manchmal sehr triebstark und genusssüchtig

Sie sind ein extravertierter, nach außen gewandter Mensch, der offen und direkt auf die Umwelt und die Mitmenschen zugeht. Zu Ihren Haupteigenschaften zählen ein kaum erschütterbares Selbstbewusstsein, ein ausgeprägtes Selbstwertgefühl und ein offenes, warmherziges Temperament. Ihre innere Sicherheit gewinnen Sie aus der festen Überzeugung, über ein unerschöpfliches Kräftepotenzial und herausragende Fähigkeiten zu verfügen. Häufig ziehen Sie die Blicke Ihrer Mitwelt auf sich; Ihre Selbstgewissheit strahlt Autorität aus, und so überlässt man Ihnen oft den Platz im Rampenlicht, die führende Rolle, nach der

Sie streben. Wenn Sie am Ende der Dekade geboren sind, kann die Prägekraft des Nachbarzeichens Jungfrau Ihren unbedingten Durchsetzungswillen dämpfen, an die Stelle des selbstsicheren Schwungs, der Sie an die Spitze drängt, tritt ein systematischer Kräfteeinsatz, der auch in den Dienst von gemeinschaftlichen Aufgaben gestellt wird.

Als Löwe-Geborener verkörpern Sie das Prinzip des Tat-Menschen. Aus dem spontanen und unmittelbaren Handeln beziehen Sie Ihr Selbstverständnis und Ihr Selbstbewusstsein, das Sie kraftvoll über jedes Hindernis hinwegstürmen lässt. Aus dem Wissen um überdurchschnittliche Leistungsfähigkeit leiten Sie den Anspruch auf Beachtung und Anerkennung durch Ihre Mitwelt ab. Mit Statistenrollen im Leben begnügen Sie sich nicht, können sich nur schwer unterordnen, sind stets auf Unabhängigkeit und Freiheit bedacht. Vor Risiken scheuen Sie nicht zurück, wenn Sie zur Erreichung Ihrer meist hochgesteckten Ziele notwendig sind. Manchmal nehmen Sie freilich unbedachte Wagnisse auf sich und gefährden bereits Erreichtes, weil Ihnen der Blick fürs Detail fehlt. Kleinlichkeitskrämerei ist einem echten »Löwen« zuwider, doch kann der Jungfrau-Einfluss in diesem Punkt für einen Ausgleich sorgen, denn er verleiht Ihnen mehr Gewissenhaftigkeit und Methodik.

Herausragende Leistungen kann man von Ihnen immer dann erwarten, wenn gestellte Aufgaben dazu angetan sind, Aufmerksamkeit und Anerkennung zu verschaffen, wenn sie Kreativität und methodisches Planen der großen Linien erfordern. Mit halben Sachen, mit Mittelmaß und Stümpertum wollen Sie sich nicht anfreunden. Im Bewusstsein Ihres großen Kräftepotenzials weichen Sie Schwierigkeiten nicht aus. Auseinandersetzungen führen Sie direkt und ohne vorsichtiges Taktieren. In Ihren Äußerungen nehmen Sie kein Blatt vor den Mund, wollen jedoch nicht beleidigen und verletzen, sondern Ihnen geht es in erster Linie darum, durch Offenheit Differenzen rasch zu bereinigen.

Sie selbst sind in Ihren Gefühlen durchaus verwundbar, besonders wenn man Sie in Ihrem Stolz verletzt, wenn man Sie Ihr

Gesicht verlieren lässt. Dann kann es zu gewaltigen Zornesausbrüchen kommen, die aber selten zu längerdauernden Fehden führen. Nachtragend und hinterhältig sind Sie nicht, im Gegenteil, viel liegt Ihnen an einer harmonischen Atmosphäre, im Beruf und im Privatleben. Häufig sind Sie sogar ein gesuchter Schlichter von Streitigkeiten.

In Ihren Ansichten und Einstellungen sind Sie nicht sonderlich flexibel. Sie wirken zuweilen recht konservativ, weil Sie sich nur schwer von einmal bezogenen, anfangs vielleicht durchaus fortschrittlichen, inzwischen aber überholten Standpunkten abbringen lassen. Anpassungsbereitschaft, die ja nichts mit Opportunismus zu tun haben muss, und eine gewisse geistige Flexibilität sollten Sie sich daher unbedingt aneignen. Dies gilt allerdings mehr für Ihre grundsätzlichen Einstellungen als für die tägliche Lebenspraxis: Wenn Sie erkennen, dass ein Positionswechsel materielle Vorteile bringt, beispielsweise Ihre beruflichen Aufstiegschancen erhöht, sind Sie durchaus dazu bereit. Drängeln oder gar zwingen lassen Sie sich freilich nicht, denn auf Eigenständigkeit und Unabhängigkeit legen Sie großen Wert.

Häufig ist Ihr Selbstwertgefühl in hohem Maße von Ruhm und Titeln, von Lob und Anerkennung abhängig. Sie lieben die glanzvolle Selbstdarstellung, den großzügigen Rahmen. Nicht zuletzt deshalb haben Sie in Gelddingen manchmal eine recht lockere Hand; Ihre stark am äußeren Effekt orientierte Persönlichkeit, Ihre Vorliebe für prunkvolle Äußerlichkeiten verleitet Sie zu übertriebener Großzügigkeit, zu unbedachten Ausgaben. Auch hier könnte der Jungfrau-Einfluss in positiver Weise bremsend wirken, weil er für mehr Vernunft und Besonnenheit im Umgang mit den materiellen Gütern des Lebens sorgt. Gefährlich werden kann Ihren Finanzen auch berechnende Schmeichelei. Man kann bei Ihnen durch geheuchelte Lobeshymnen viel erreichen, denn Sie revanchieren sich meist großzügig und lassen sich unter Umständen sogar schamlos ausnützen.

Auch mit Ihren körperlichen Kräften gehen Sie manchmal nicht sonderlich haushälterisch um, fordern sich bis an die Grenzen

Ihrer Leistungsfähigkeit. Sie sind zwar meist recht robust, halten viel aus, aber wenn Sie sich allzu unbedacht verausgaben, besteht die Gefahr, dass Sie Ihre Gesundheit untergraben. Sie können viel, sollten sich aber nicht alles zutrauen. Lernen Sie also, Ihre Kräfte einzuteilen, und lassen Sie sich nicht durch übersteigerte Selbstsicherheit und maßlose Selbstüberschätzung zu einem Raubbau verleiten, den Sie bald bereuen müssen. Halten Sie Ihren Wagemut im Zaum, um nicht durch Tollkühnheit und Fehlspekulationen Schaden zu erleiden. Lassen Sie sich nicht zu Großspurigkeit und Kraftmeierei hinreißen, um ans Ziel Ihrer Wünsche zu gelangen; solche »Erfolge« sind nicht von Dauer. Bleiben Sie bei Ihrem bewährtem Grundsatz, dass nur solide Leistung zählt und sich auszahlt.

Mit großer Selbstverständlichkeit streben Sie auch in zwischenmenschlichen Beziehungen nach der führenden Rolle. Da Sie jedoch selbstständige und unabhängige Menschen schätzen, geraten Sie mit Ihrem Herrschaftsanspruch oft an den falschen Partner, mit dem es zu einigen Reibereien kommen kann. In Kontakten mit der Umwelt geben Sie sich meist jovial, herzlich und freundlich, Sie wirken zuverlässig und vertrauenerweckend und werden häufig zu einem gesuchten Ratgeber. Heimlichen Anfeindungen begegnen Sie mit offenen Aussprachen. Sie sind in Ihren Liebesbeziehungen sehr leidenschaftlich und treu, wenn Sie sich anerkannt und bewundert fühlen, und umsorgen Ihren Partner mit Hingabe. Dafür muss er sich allerdings Ihnen unterordnen, muss sich Ihrem eifersüchtigen Ausschließlichkeitsanspruch unterwerfen. Sie selbst hingegen bestehen auf Freiräumen und einer gewissen Unabhängigkeit und sind keineswegs unbedingt verlässlich: Da Ihnen letztlich am Erobern mehr liegt als am Besitzen, kann es geschehen, dass Sie Bindungen ziemlich rasch lösen oder sträflich vernachlässigen, wenn Ihnen eine neue lockende »Beute« winkt.

Sprichwörtlich ist Ihre großzügige Hilfsbereitschaft. Selten lassen Sie jemanden in Stich, der sich in einer echten Notlage an Sie wendet. Dass Sie gelegentlich auch schamlos ausgenützt werden, nehmen Sie dabei in Kauf. Energisch setzen Sie sich für vermeintlich Schwächere ein, denen Unrecht geschieht oder die in ihren Rechten willkürlich beschnitten werden. Freiheit und ungehinderte Entfaltungsmöglichkeiten fordern Sie nicht nur für sich selbst, sondern für jedermann, und für dieses Grundrecht treten Sie entschieden ein. Dies tun Sie allerdings nur selten auf der Ebene von Ideologien oder politischen Parteien, denn solche Bindungen empfinden Sie als einengend, und die Vereinsmeierei, die auch in politischen Parteien üblich ist, ist Ihnen zu kleinkariert, als dass Sie ihr etwas abgewinnen können. Wenn Sie helfen, dann direkt und durch Tat oder praktischen Rat. Seelischen Nöten, die an Sie herangetragen werden, stehen Sie freilich ziemlich hilflos gegenüber, denn infolge Ihrer starken Ichbezogenheit können Sie sich kaum in andere einfühlen.

Die Grundprägung durch das Sonnenzeichen wird natürlich durch andere Faktoren wie zum Beispiel den Einfluss des Aszendenten oder den Einfluss der benachbarten Tierkreiszeichen abgewandelt. So können positive Anlagen abgeschwächt oder auch ins Negative übersteigert sein: Aus Selbstsicherheit wird dann Anmaßung und Überheblichkeit, aus Großzügigkeit Verschwendungssucht, aus Zielstrebigkeit Rücksichtslosigkeit, aus Wagemut unbesonnene Risikobereitschaft und hemmungsloses Spekulantentum, aus Selbstvertrauen maßlose Selbstüberschätzung.

An Ihnen liegt es, Ihre Zielsetzungen auf Ihre Möglichkeiten und Begrenzungen abzustimmen, positive Anlagen zu fördern und gezielt einzusetzen und Negatives abzumildern oder durch bewusstes Gegensteuern nicht zur Auswirkung kommen zu lassen.

Meine Anlagen und Neigungen

Als Löwe-Geborener sind Sie weit mehr verstandes- als gefühls-
orientiert, sind ein extravertierter Mensch, der aktiv auf die Umwelt und die Mitmenschen zugeht, um auf sie einzuwirken und
den Gang der Dinge mitzubestimmen. Ihr ausgeprägtes Selbstwertgefühl ist kaum zu erschüttern: Sie fühlen sich gleichsam
als Mittelpunkt der Welt, als die Norm, an der Sie alles rings um
sich messen. Verbunden mit dieser großen Selbstsicherheit sind
ein überdurchschnittlich hohes Kräftepotenzial und ein starker
Wille, die Ihnen sehr viel Durchsetzungsvermögen geben. Sie
streben fast instinktiv nach einem Platz im Rampenlicht, nach
einer führenden Position, bestehen auf Selbstständigkeit und Unabhängigkeit. Jede Reglementierung und Einengung ist Ihnen
verhasst. Zu Ihrer Enfaltung brauchen Sie persönliche Freiräume. Sie wollen nach Möglichkeit auf niemanden angewiesen sein,
niemandem etwas verdanken müssen. Sie sind darauf bedacht,
Beachtung und Anerkennung zu finden, und sind bereit, alle Ihre
Fähigkeiten einzusetzen, um dies aus eigener Kraft zu erreichen.
Einen Aufstieg auf Kosten anderer lehnt Ihr Stolz ab.

Diese typische Löwe-Prägung zeigt sich schon beim Kind. Es
ist in der Regel sehr lebhaft und voller Tatendrang und Wagemut. Es hat kaum Kontaktscheu und schart früh schon Spielge-
fährten um sich, in deren Kreis es gern eine führende Rolle über-
nimmt. Bereits im Kindesalter äußern sich Selbstsicherheit und
die Fähigkeit der Selbstdarstellung, die auch Erwachsene stark
anzusprechen vermag. Ihnen gegenüber ist das Löwe-Kind oft
bemüht, sich von der besten Seite zu zeigen, um Anerkennung
und Lob einheimsen zu können. Nicht wenige Eltern lassen sich
dadurch verleiten, die Zügel allzusehr schleifen zu lassen, doch
ist dies gerade beim Löwe-Kind wenig ratsam, wenn man seinen
Sozialisierungsprozess fördern will. Dazu gehört, dass man ihm
beibringt, sich nicht als den maßgebenden Mittelpunkt zu be-
greifen, um den sich alles drehen muss, dass man überzogene
Herrschaftsansprüche und egoistische Selbstherrlichkeit be-

schneidet, ihm klarmacht, dass das soziale Ordnungsgefüge nur funktionieren kann, wenn jeder Rücksicht auf den anderen nimmt und bereit ist, im Interesse des Ganzen persönliche Wünsche zurückzustecken. Zwar sollte man es keinem Kind an Liebe und Zuwendung fehlen lassen, doch beim Löwe-Kind ist eine wohlbedachte Dosierung von Lob und Ermunterung ratsam, damit seine Selbstsicherheit nicht in Überheblichkeit ausartet. Durch berechtigten Tadel nimmt das Löwe-Kind keinen seelischen Schaden, im Gegenteil, solche Zurechtweisungen und Dämpfungen sind ein wichtiges Mittel der Erziehung zur Selbstkritik, weil sonst die natürliche Ichbezogenheit des Kindes zu krassem Egoismus auswachsen kann.

Mit seinem aufnahmebereiten, regen Geist hat das Löwe-Kind in der Schule meist keine großen Schwierigkeiten. Nur mit theoretischem, abstraktem Wissensstoff kommt es weniger gut zurecht, da es praktisch ausgerichtet ist und am besten aufnimmt, was ihm durch Anschaulichkeit »begreifbar« gemacht wird. Ein automatisches Speichern von Wissen durch mechanisches Lernen liegt ihm nicht; nur wirklich Verstandenes wird behalten. Da Löwe-Geborene sehr lernwillig sind und sich einen möglichst umfangreichen Wissensschatz aneignen wollen, stellen die Kinder viele Fragen, auf die man unbedingt eingehen sollte. Wichtig ist es, den Sozialisierungsprozess im Auge zu behalten, die Erziehung zur Rücksichtnahme weiterzuführen, übertriebene Ansprüche sinnvoll zu beschneiden und wegen der Anfälligkeit für falsches Lob und Schmeicheleien auf den Umgang des Kindes zu achten, wobei jede übermäßige Einengung der persönlichen Freiräume vermieden werden sollte. Da Löwe-Kinder meist schon früh recht verständig sind, sollte man sich die Mühe machen, ihnen den Sinn und Wert von Vorschriften und Begrenzungen deutlich zu machen; je einleuchtender und überzeugender dies geschieht, desto eher sind die Kinder bereit, sich an auferlegte Beschränkungen zu halten. Andernfalls besteht die Gefahr, dass das Kind Vorschriften als willkürlichen Zwang und Unterdrückung begreift und sich dagegen auflehnt.

Auch im Berufsleben strebt der Löwe-Geborene nach einer führenden Rolle, nach einer Tätigkeit, die ihn ins Rampenlicht bringt, ihm Beachtung und Anerkennung verschafft. Viel liegt ihm daran, dieses Ziel aus eigener Kraft zu erreichen, den Erfolg nur seiner eigenen Leistung zu verdanken haben; das ist für seinen Stolz und sein Selbstwertgefühl wichtig, Protektion lehnt er ebenso ab wie jeden Versuch, sich auf Kosten anderer hochboxen zu wollen. Vielmehr ist er bereit, seine großen Kraftreserven zu mobilisieren und seine positiven Anlagen einzusetzen, um durch qualitätvolle Leistungen zu überzeugen. Er zögert nicht, sich hohen Anforderungen zu stellen, verantwortungsvolle Aufgaben zu übernehmen, selbst wenn er ihnen im Augenblick noch nicht ganz gewachsen ist, denn er traut sich sehr viel zu und ist der Überzeugung, mit den Aufgaben wachsen zu können, was ihm in der Tat in den meisten Fällen gelingt. Ob diese Selbstsicherheit immer gerechtfertigt ist, hängt allerdings von vielerlei Prägefaktoren des persönlichen Horoskops ab. Selbstüberschätzung und großspurige Selbstherrlichkeit können gefährlich werden und die meist weitgespannten Pläne scheitern lassen.

Der Löwe-Geborene lehnt es ab, sich gängeln und herumkommandieren zu lassen. Er braucht eine gewisse Selbstständigkeit und persönliche Freiräume. In einer untergeordneten Position, in der er keine Eigeninitiative entfalten kann, nur Befehlsempfänger ist und wenig Beachtung und Anerkennung findet, wird er auf Dauer verkümmern und längst nicht die Leistungen erbringen können, derer er fähig ist. Es fällt ihm schwer, sich unterzuordnen; Vorgesetzte erkennt er nur an, wenn sie ihm durch echte Qualitäten Respekt abnötigen und ihn seinerseits gelten lassen; in diesem Fall können sie seiner fast sprichwörtlichen Loyalität und seiner großen Einsatzbereitschaft sicher sein. In einem Arbeitsteam ist er frei von Konkurrenzneid, stellt allerdings an die Kollegen ebenso hohe Anforderungen wie an sich selbst und reagiert entschieden auf Stümperei und Nachlässigkeit, die den gemeinsamen Erfolg gefährden. Wenn er die erstrebte führende Position erreicht hat, ruht er sich keineswegs auf den Lorbeeren aus, sondern geht unverzüglich daran, sich und der Mitwelt zu beweisen, dass er die herausgehobene Rolle tatsächlich verdient hat und sie auszufüllen versteht. Er ist ein zwar leistungsorientierter, aber in der Regel umgänglicher und großzügiger Chef, dem viel an einem harmonischen Arbeitsklima liegt, in dem jeder sein Bestes geben kann. Er stellt hohe Anforderungen, deren Erfüllung er anerkennt und belohnt; Kritik wird sachlich, aber unverblümt vorgebracht. Meisterhaft versteht er es mit sicherem Machtinstinkt, alle für das gemeinsame Ziel einzuspannen und dabei Aufgaben so zu delegieren, dass er stets die Fäden in der Hand hält.

Angesichts der vor Jahrzehnten noch ungeahnten Mobilität im heutigen Berufsleben und der grundlegenden Wandlung vieler Berufsbilder sind die auf traditioneller Symbolik beruhenden astrologischen Zuordnungen bestimmter Berufe zu den einzelnen Tierkreiszeichen wenig sinnvoll. Zwar lassen sich Sparten nennen, zu denen sich Löwe-Geborene besonders stark hingezogen fühlen, etwa das freie Unternehmertum in Wirtschaft und Industrie, das Theater, die schönen Künste oder die Werbebranche, aber wichtiger als der Berufszweig sind für den Löwe-Geborenen die Umstände, unter denen er eine Tätigkeit ausübt.

Am besten kommt er zur Entfaltung, wenn er die Möglichkeit hat, seine vielfältigen Gaben und seine Individualität zur Geltung zu bringen, kreative Eigeninitiative zu entwickeln und der Mitwelt zu beweisen, was in ihm steckt. Das kann in entsprechenden Positionen fast aller Berufszweige geschehen, denn Löwe-Geborene sind meist ungemein vielseitig und finden sich auf vielen Sätteln zurecht. Damit entsprechen sie einer der Grundanforderungen, die im Berufsleben unserer Zeit gestellt werden.

Meine Gesundheit

Wenn in früheren Jahrhunderten Leute von Rang und Namen erkrankt waren, wurde als erstes nicht der Arzt, sondern der Astrologe gerufen, der dem Heilkundigen die für Diagnose und Behandlung wichtigen Hinweise zu geben hatte. Häufig waren jedoch die Ärzte selbst Astrologen, so etwa Paracelsus, der bedeutendste Mediziner an der Wende des Mittelalters zur Neuzeit, der die Meinung vertrat, dass die Beachtung der Gestirnstände eine notwendige Voraussetzung für jede erfolgreiche Behandlung sei. Das war damals schon seit Jahrtausenden üblich, wie Zeugnisse aus der griechischen und römischen Antike beweisen.

Uralt sind auch die Zuordnungen bestimmter Körperteile, Organe und Erkrankungen zu Tierkreiszeichen und Gestirnen. Das bedeutet nichts anderes, als dass je nach den Konstellationen des Geburtshoroskops bestimmte Schwachpunkte und Gefährdungen gegeben sind. Es heißt jedoch nicht, dass entsprechende Erkrankungen und Schädigungen tatsächlich eintreten müssen: Eine durch kosmische Prägung gegebene, im Geburtshoroskop angezeigte Krankheits- und Schädigungsdisposition wird erst dann akut, wenn im weiteren Verlauf des Lebens bestimmte auslösende Gestirnstände die schlummernden Anlagen aktivieren. Daraus ist freilich nicht zu schließen, dass »die Sterne krank machen«; sie machen ebensowenig krank, wie eine Uhr Zeit »macht«. Uhren zeigen Zeit an, und genauso zeigen Gestirne drohende Gefährdungen an. Wenn ich rechtzeitig auf diese Warnungen achte, meine Schwachpunkte kenne und weiß, welche Gefahren mir drohen, kann ich Gegenmaßnahmen ergreifen, um sie abzuwenden. Ich kann ganz gezielt meine Lebensweise und Ernährung umstellen, auf Genussgifte verzichten, meinen Organismus durch Bewegung, Gymnastik, Wasseranwendungen nach Kneipp usw. kräftigen und so dafür sorgen, dass meine Krankheitsdispositionen nicht zu tatsächlichen Erkrankungen werden.

Auf den ersten Blick erscheinen die traditionellen medizinischen Bezugsetzungen der Astrologie fast primitiv. Dem Zeichen Löwe zugeordnet sind Herz mit Kreislauf, Rücken mit Wirbelsäule und Rückenmark, Solarplexus und Unterschenkel. Das verweist auf eine Anfälligkeit für Herz- und Kreislauferkrankungen, Rückenmarksleiden, Erkrankungen der Wirbelsäule, aber auch für Venenleiden, beispielsweise für Krampfadern. »Planetenherrscher« im Zeichen Löwe ist die Sonne, der Herz und Kreislauf, der Leib insgesamt und bedingt die Augen zugeordnet sind, so dass die schon aufgezählten Gefährdungen verstärkt sind und durch die Möglichkeit von Augenleiden erweitert werden.

Die Entsprechungen scheinen auf der Hand zu liegen. Wie der Löwe unter den Tieren und die Sonne unter den Gestirnen eine herausragende Stellung einnehmen, so sind das Herz und die Wirbelsäule mit dem blutbildenden Rückenmark für den menschlichen Organismus von zentraler Bedeutung. Doch um bloße Symbolbezüge handelt es sich bei den Zuschreibungen nicht; vielmehr wurden sie im Lauf von Jahrtausenden durch sorgfältige Beobachtung und Bezugsetzung von irdischem und kosmischem Geschehen erarbeitet.

Gefährdung und Vorbeugung

Die bei Ihnen angezeigten Gefährdungen bedeuten keineswegs, dass es schicksalhaft und unausweichlich zu einer entsprechenden Schädigung kommen muss, sondern lediglich, dass Sie in dieser Hinsicht besonders vorsichtig sein müssen, damit aus einer bei Ihnen gegebenen Möglichkeit nicht eine schadenbringende Wirklichkeit wird.

Das hat zunächst einmal mit Astrologie wenig zu tun, sondern ist ganz einfach ein Gebot des gesunden Menschenverstands. Wenn Sie zum Beispiel wissen, dass Sie einen schwachen Magen haben, achten Sie ganz von selbst darauf, ihn nicht zu überlasten, denn Sie kennen aus eigener Erfahrung die Folge von Unvernunft. Ihre im Horoskop angezeigten Gefährdungen mögen

Aufteilung der Tierkreiszeichen auf die verschiedenen Körperzonen

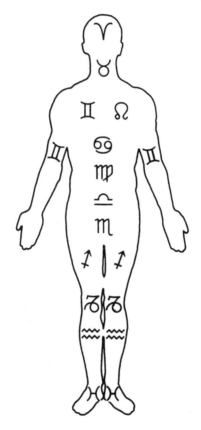

♈ Widder: Kopf
♉ Stier: Kehle, Hals
♊ Zwillinge: Lunge und Arme
♋ Krebs: Brust und Magen
♌ Löwe: Herz
♍ Jungfrau: Darm

♎ Waage: Nieren und Harnleiter
♏ Skorpion: Geschlechtsorgane
♐ Schütze: Oberschenkel
♑ Steinbock: Knie
♒ Wassermann: Waden
♓ Fische: Füße

Ihnen zwar weniger deutlich bewusst sein, sind aber ebenso ernst zu nehmen. Der Wert der Horoskopaussage liegt ja gerade darin, dass sie Ihnen Erkenntnisse über Ihre leibseelischen Anlagen und Gegebenheiten vermittelt, also auch über Ihre physische und psychische Gesundheit und deren mögliche Beeinträchtigungen. Wenn Sie Ihre Schwachpunkte kennen, können Sie gezielt dagegen angehen und durch vorbeugende Maßnahmen dafür sorgen, dass Anfälligkeiten nicht zu Erkrankungen und Schädigungen führen. Wir müssen uns hier freilich auf allgemeine Hinweise beschränken, denn die Astromedizin oder medizinische Astrologie ist eine hochkomplizierte Erfahrungswissenschaft, deren Diagnose- und Therapiemethoden nicht auf wenigen Seiten mit ausreichender Deutlichkeit darstellbar sind.

Unter den bei Ihnen angezeigten Anfälligkeiten sind die Gefährdungen für Herz und Kreislauf, die bis zum Herzinfarkt gehen können, besonders typisch, beruhen sie doch auf negativen Eigenschaften, die bei Löwe-Geborenen häufig sind: Maßlosigkeit, Selbstüberschätzung und mangelnde Selbstkritik. Aus ihnen kann sich auch eine psychische Gefährdung ergeben, die in die Richtung der Schizophrenien und Hysterie geht. Maßlosigkeit kann Sie dazu verleiten, nicht nur leiblichen Genüssen über Gebühr zuzusprechen, sondern auch sich selbst ständig zu überfordern und mit den Kräften Raubbau zu treiben. Selbstüberschätzung lässt nicht zu, dass Sie sich und anderen eingestehen, an Grenzen Ihrer Leistungsfähigkeit gestoßen zu sein, denn ein solches Eingeständnis würde Ihr Selbstwertgefühl beeinträchtigen, das sich zwar nach außen hin unerschütterlich gibt, in Wirklichkeit aber keineswegs so gefestigt ist, wie Sie den Anschein erwecken wollen. Um sich und der Mitwelt zu beweisen, dass Sie allezeit der oder die Größte sind, nehmen Sie notfalls auch einen totalen Zusammenbruch in Kauf – Hauptsache, Sie haben, obwohl überfordert, um keinen einzigen Schritt zurückgesteckt und nicht (was für Sie vernichtend wäre) klein beigegeben.

Maßloser Leistungsehrgeiz und übertriebene Selbstherrlichkeit können für Ihre Gesundheit sehr gefährlich werden.

Großzügig übersehen Sie die Warnsignale Ihres Körpers, denken gar nicht daran, sich mit »Kleinigkeiten« wie Erkältungen, Kopfschmerzen, Herzstechen oder Magenschmerzen abzugeben. Solange Sie solche Symptome mit Pillen, Tropfen und Pülverchen unterdrücken können, verdrängen Sie den Gedanken, dass sie auf eine ernsthafte, vielleicht lebensbedrohende organische Störung hinweisen können. Sie sollten unbedingt den Signalen Ihres Körpers mehr Beachtung schenken; regelmäßige ärztliche Untersuchungen sind dringend anzuraten, damit organische Erkrankungen rechzeitig entdeckt und behandelt werden können. Häufig neigen Sie zu Bluthochdruck, und was dies auf Dauer für Ihre Gesundheit bedeutet, wissen Sie wahrscheinlich. Eine regelmäßige, stressärmere Lebensweise und eine ausgewogene Ernährung mit wenig Salz, tierischen Fetten und ohne starke Alkoholika sind die erste Voraussetzung für eine Normalisierung des Kreislaufs.

Nichts ist gegen einen gesunden Leistungswillen einzuwenden, doch viel gegen eine sich selbst auferlegte ständige Überforderung, gegen einen langfristigen Raubbau an den eigenen Kräften, gegen Verhinderung von körperlicher und geistiger Regeneration durch Dauerstress. Sie müssen unbedingt abschalten lernen, so schwer Ihnen dies vermutlich auch fällt. Halten Sie sich immer wieder vor Augen, dass Sie wie jeder Mensch Ihre Grenzen haben, dass Ihr Leistungspotenzial nicht unerschöpflich ist und Sie letzten Endes sehr viel mehr zu leisten vermögen, wenn Sie Pausen zum Auftanken einlegen, in denen Ihnen neue Kräfte zuwachsen. Sie sollten vermutlich auch Ihre Urlaube anders gestalten, denn häufig sind sie ebenso strapaziös wie Ihr Berufs- und Alltagsleben. Wenn Sie sich einmal klargemacht haben, dass Sie – trotz gegenteiliger Überzeugung – kein Übermensch sind und Ihre Gesundheit nicht ungestraft vernachlässigt werden darf, werden Sie hoffentlich bedachter mit ihr umgehen.

Die ideale Partnerschaft – Liebe und Ehe

Manche Menschen verstehen sich auf Anhieb prächtig und kommen ausgezeichnet miteinander aus, während andere nur schwer zueinander Kontakt finden oder sich gar in offenen Streitigkeiten oder schwelenden Konflikten aneinander zerreiben. Wesensverwandtschaften und Wesensgegensätze spielen in zwischenmenschlichen Beziehungen eine entscheidende Rolle, und da das Wesen des Menschen maßgeblich durch kosmische Prägung mitbestimmt wird, sind Partnerschaftsvergleiche auf astrologischer Grundlage ungemein beliebt.

Nun sind freilich solche Vergleiche im konkreten Fall nur dann wirklich aussagekräftig, wenn die individuellen, präzis erstellten und ausgedeuteten Horoskope beider Partner als Grundlage dienen. Immerhin lassen sich aus den Sonnenzeichen zweier Menschen »Verträglichkeitswerte« ableiten, ist doch das Tierkreiszeichen, in dem zum Zeitpunkt der Geburt die Sonne gestanden hat, der wichtigste Prägefaktor des Individualhoroskops. Zwar kann man aus einem Wesensbild, das lediglich aus dem Sonnenzeichen abgeleitet wurde, keine genauen Aussagen für den Einzelfall gewinnen, aber solche Vergleiche sind dennoch sinnvoll, weil sie helfen können, zwischenmenschliche Beziehungen erfreulicher und reibungsloser zu gestalten: Wenn man die Stärken und Schwächen seiner Mitmenschen kennt, vermag man sich besser darauf einzustellen und manche Reibereien und Krisen zu vermeiden. Dazu gehört freilich auch, dass man zunächst einmal über sich selbst möglichst genau Bescheid weiß, sich seine Schwächen eingesteht und sich keiner Selbsttäuschung hingibt. Deshalb stellen wir den Partnerschaftsvergleichen nach Sonnenzeichen Ausführungen über Ihr eigenes Verhalten in zwischenmenschlichen Beziehungen voran.

Auf Grund der Charakteristiken der Sonnenzeichen hat man eine Vergleichstabelle der zwölf Tierkreiszeichen erstellt, auf der die Verträglichkeit nach einem von 1 bis 6 reichenden Punktesystem bewertet wird. Danach verträgt sich der Löwe am besten mit Widder und Schütze (je 6 Punkte), dann mit Löwe und Waage (je 5 Punkte) und mit Zwilling und Skorpion (je 4 Punkte). Nicht so gut klappt es mit Stier und Steinbock (je 3 Punkte) sowie mit Krebs und Wassermann (je 2 Punkte), während Jungfrau und Fische mit lediglich einem Punkt am unteren Ende der Verträglichkeitsskala stehen. Diese Bewertung gilt freilich nur für die grundlegenden Wesenszüge; im konkreten Einzelfall kann ein Krebs durchaus mit einem Widder auskommen, doch müssen in dieser Verbindung die Partner sich mehr als bei anderen Verbindungen bemühen, trotz der erheblichen Wesensunterschiede die Beziehung harmonisch zu gestalten, während in der Partnerschaft mit einem Skorpion diese Harmonie weitgehend von vornherein gegeben ist.

Ihr Partnerschaftsverhalten

Natürlich sind Sie als selbstbewusster Löwe der felsenfesten Überzeugung, für jeden Mann bzw. jede Frau der Idealpartner zu sein, denn wesentliche Mängel können Sie bei sich nicht feststellen. Zweifellos steht Ihr Tierkreiszeichen für eine ganze Reihe von löblichen Eigenschaften: Entschlusskraft, Fleiß, Zielstrebigkeit, Selbstbewusstsein, Mut, Sicherheit, Leidenschaftlichkeit und Großzügigkeit. Sie sind verstandesbestimmt und strahlen durch Ihre Selbstsicherheit eine gewisse Autorität aus. Menschen, an denen Ihnen etwas liegt, gewähren Sie Schutz und Fürsorge.

Aber alle diese Wesenszüge haben auch Ihre Schattenseiten, denn sie können ins Negative übersteigert sein, weil außer dem Sonnenzeichen noch andere kosmische Prägekräfte wirksam sind. Dann kann aus Durchsetzungsvermögen rücksichtslose Tyrannei werden, aus Selbstbewusstsein maßlose Selbstüberschätzung, aus Mut bedenkenlose Tollkühnheit, aus Leidenschaftlichkeit unbeherrschte Triebhaftigkeit. Aber selbst ohne solche Übersteigerungen gibt es bei Ihnen manches, das in einer Partnerschaft Probleme schafft. Viel liegt Ihnen daran, stets im Mittelpunkt zu stehen; Sie brauchen Lob und Anerkennung oder besser noch Bewunderung zur Selbstbestätigung und als Ansporn. Ihre ausgeprägte Ichbezogenheit bedingt, dass Sie bei all Ihrem Planen und Tun stets das eigene Interesse im Auge behalten und auch für von Ihnen geleistete Wohltaten irgendeinen Lohn erwarten.

Als strahlender Optimist, der seine Ziele auf dem direktesten Weg ansteuert, finden Sie in der Regel rasch Kontakt, wenn jemand Ihr Interesse geweckt hat. In jungen Jahren gehen Sie häufig zahlreiche, wenngleich ziemlich lockere Bindungen ein. Sehr viel Einfühlungsvermögen haben Sie nicht, so dass Sie bei aller Großzügigkeit seelische Bedürfnisse selten stillen können. Ihrer verführerischen Ausstrahlung gewiss, verhalten sich Löwe-Frauen meist passiver, aber wenn sie erst einmal Feuer gefangen haben, bricht rasch ihre Leidenschaftlichkeit durch.

Sie lieben die Freiheit und brauchen auch in einer engen Partnerschaft Ihre eigenen Freiräume, sind jedoch Ihrerseits sehr eifersüchtig und lassen sich auch einem Partner gegenüber von dem Ihnen eigenen Besitzdenken leiten. Selbstverständlich müssen Sie auch in einer Zweisamkeit das Gefühl haben, stets im Mittelpunkt zu stehen. Wenn Ihr Partner Ihnen das gibt, Ihnen Lob und Anerkennung zollt, darf er Ihrer großzügigen Fürsorge sicher sein. Obwohl Sie stets die erste Geige spielen wollen, sind Sie durchaus lenkbar, wenn man es versteht, Ihre Begeisterungsfähigkeit zu wecken.

Sprichwörtlich ist das »Löwengebrüll«, mit dem Sie Auseinandersetzungen führen, aber ganz so schlimm ist es nicht, denn bei aller Selbstherrlichkeit sind Sie in der Regel sehr loyal und vernünftig und nur selten nachtragend, so dass nach dem Abzug der Gewitterwolken die Harmonie bald wiederhergestellt ist. Zu Ihren Schwachpunkten zählen allerdings mangelnde Ausdauer und ein gewisses Spekulantentum, was die materiellen Grundlagen einer Partnerschaft gefährden und zerstören kann.

Löwe mit Widder

Die Vertreter beider Tierkreiszeichen sind dynamisch, aktiv, selbstbewusst, ehrgeizig und erfolgsorientiert. Beide wollen ihre Umwelt prägen und eine Führungsrolle spielen. Wenn sie gemeinsame Aufgaben übernehmen, bilden sie ein erfolgreiches Gespann: Der Löwe steckt schwungvoll die Ziele ab, und der Widder findet mit seiner praktischen Wirklichkeitsbezogenheit die kürzesten Wege dorthin. Freilich können dabei allzu unbeschwerter Optimismus und unbedachte Impulsivität gelegentlich zu Fehlschlägen führen, durch die sich aber beide nur wenig beeindrucken lassen. Rangstreitigkeiten sind selten, da es bei den Interessen und Zielsetzungen viele Gemeinsamkeiten gibt und der Löwe sich nicht zurückgesetzt fühlt, wenn die Initialzündung vom Widder ausgeht. Der stärker gefühlsbetonte Löwe braucht in einer Partnerschaft viel Beifall und Ermunterung und will das Gefühl haben, im Mittelpunkt zu stehen; regelmäßige »Streicheleinheiten« in Form von aus dem Rahmen fallenden Geschenken tun ihm gut. Allerdings sollte man rechtzeitig seiner manchmal übertriebenen Selbstherrlichkeit und Großzügigkeit Grenzen setzen. Zur Hebung ihres Selbstwertgefühls neigen manche Löwen dazu, sich lautstark bemerkbar zu machen, was freilich einen echten Widder nur wenig beeindruckt. Erotische Bindungen sind meist stark und voller Dynamik. Auseinandersetzungen können heftig sein, gehen aber in der Regel rasch vorbei, ohne dass Groll zurückbleibt; ein reinigendes Gewitter ist beiden sehr viel willkommener als ein verbissener »Kleinkrieg«.

 Löwe mit Stier

Trotz vieler Wesensunterschiede haben die Vertreter dieser beiden Tierkreiszeichen manches gemeinsam: Beide lieben eine schöne Umwelt, legen Wert auf ein sicheres finanzielles Polster, schätzen die Ausübung materieller Macht. Um all dies zu erreichen, setzen sie zielstrebig und fleißig ihr großes Energiepotenzial ein; am sozialen und beruflichen Aufstieg liegt beiden viel. Sie bilden ein gutes Team für gemeinsame Unternehmungen, die der Löwe mit viel Schwung entwirft, während der vorsichtigere Stier die Planung absichert, die Risiken abschätzt und den wenig ausdauernden Löwen dazu anhält, bei der Stange zu bleiben. Auch im Alltagsleben verstehen sich beide recht gut, da sie den schönen Seiten des Lebens viel abgewinnen können, geborene Genießer sind. In einer engen Zweierbeziehung wird allerdings meist bald offenbar, dass es auch viele Gegensätze und Reibungsflächen gibt: Der eifersüchtige Stier will den Partner ganz und gar in Beschlag nehmen, der Löwe will dominieren und im Mittelpunkt stehen, und so kann es geschehen, dass jeder sich vom anderen übermäßig eingeengt und zurückgesetzt fühlt. Differenzen gibt es auch bei den Finanzen, die der Stier-Partner zusammenhalten und nach Möglichkeit vermehren möchte, während der großzügige Löwe eine sehr viel lockerere Hand hat. Da beide recht halsstarrig sein können, fällt es ihnen schwer, einen gemeinsamen Nenner zu finden. Zwar mag die meist starke erotische Bindung manches überbrücken, doch wird es immer wieder Konflikte geben, an denen die Partnerschaft freilich nicht zerbrechen muss, wenn sich beide bewusst sind, wieviel Nutzen sie ihnen trotzdem bringt.

Löwe mit Zwilling

Der Löwe schätzt den Ideenreichtum und die geistige Beweglichkeit des Zwillinge-Geborenen, während diesen die Selbstsicherheit, Herzlichkeit und Großzügigkeit des Löwen beeindrucken. Eine Partnerschaft zwischen beiden bedeutet eine Verbindung von Geist und Charme, Einfällen und Tatkraft, Entschlussfreude und Kontaktfähigkeit, die beiden Nutzen bringt. Dem wendigen und anpassungsfähigen Zwillinge-Partner fällt es in der Regel nicht allzuschwer, auf die Eigenheiten des Löwen einzugehen, seine starke Ichbezogenheit in Rechnung zu stellen und ihm den Eindruck zu vermitteln, immer und überall im Mittelpunkt zu stehen. Auch mit dem gelegentlichen »Löwengebrüll« wird er gut fertig, denn er nimmt es nicht allzu ernst. Andererseits ist der Löwe großzügig genug, dem Partner die für diesen notwendigen persönlichen Freiräume zu gewähren und seine nicht eben seltenen Stimmungsschwankungen aufzufangen. Da sie sich gut ergänzen, bilden sie für viele Unternehmungen ein erfolgreiches Team; lediglich mit der Geduld und Zähigkeit hapert es bei beiden, und oft gelingt es ihnen nicht, eine solide finanzielle Grundlage abzusichern – Finanzgenies sind sie selten. In einer engen Zweierbindung muss sich der Löwe vor einengendem Ausschließlichkeitsanspruch und übermäßiger Selbstsucht hüten, während der Zwillinge-Geborene nicht durch zügellosen Freiheitsdrang, unbedachte Unzuverlässigkeit, verletzende Offenheit und Launenhaftigkeit die Geduld des Löwen überstrapazieren darf.

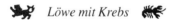 *Löwe mit Krebs*

Die Vertreter dieser beiden Tierkreiszeichen sind wesensmäßig sehr verschieden, aber gerade deshalb können sie sich nicht nur im praktischen Leben, sondern auch in einer engen Zweierbindung in mancher Hinsicht ausgezeichnet ergänzen. Die Gemeinschaft mit dem selbstsicheren, ichbewussten Löwen verhilft dem eher schüchternen Krebs zu innerer Sicherheit, während der von Natur aus nicht sonderlich tiefgründige Löwe in der Verbindung oft eine überraschende Sensibilität und Rücksichtnahme entwickelt. Gemeinsam ist beiden die Liebe zu gepflegter Häuslichkeit. Im tagtäglichen Miteinander wird allerdings die Geduld des Löwen häufig durch die Unentschlossenheit und Launenhaftigkeit des Partners auf eine harte Probe gestellt, und wenn dieser sich in seine Schale zurückzieht, weiß der extravertierte Löwe wenig mit ihm anzufangen. Andererseits kann das Verlangen des Löwen, stets im Mittelpunkt zu stehen und bewundert zu werden, dem Krebs ungemein auf die Nerven gehen. Eine enge Bindung bringt also mancherlei Schwierigkeiten mit sich, weil die Wesensunterschiede viele Reibungsflächen bieten. Manches kann allerdings durch die oft tiefe erotische Bindung erleichtert und überbrückt werden, da sich die Leidenschaftlichkeit des Löwen an der Gefühlswärme des Krebses entzündet. Voraussetzung für eine dauerhafte Partnerschaft ist aber in jedem Fall ein verständigungsbereites Eingehen auf die Eigenheiten des anderen.

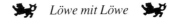

Löwe mit Löwe

Eine solche Verbindung wird in der Verträglichkeitsskala wegen der zahlreichen Gemeinsamkeiten mit 5 Punkten sehr positiv bewertet. Gleiche Einstellungen und Ansichten erleichtern das Zusammenleben: Beide sind den schönen und angenehmen Seiten des Lebens zugetan, schätzen einen gepflegten Rahmen, legen auf materielle Absicherung Wert und sind auch in schwierigen Situationen unbedingt loyal. Krisen werden schnell überwunden, weil beide keine Hemmungen haben, offen darüber zu reden. Wenn zudem gemeinsame Ziele angestrebt werden, können die wahrscheinlichen Erfolge der vereinten Bemühungen die Verbindung festigen. Störend kann sich auswirken, dass beide im Mittelpunkt stehen, das Heft in der Hand halten wollen, Anerkennung und Bewunderung brauchen, eine gewisse Alles-oder-Nichts-Einstellung haben. Ihr Anspruchs- und Besitzdenken macht sie ungemein eifersüchtig, und wenn sie sich vom Partner nicht gebührend hofiert fühlen, neigen sie dazu, die gewünschte Anerkennung in »aushäusigen« Aktivitäten zu suchen. Daran muss freilich eine Partnerschaft nicht unbedingt zerbrechen, denn wegen ihrer gleichgerichteten Wesensart haben sie viel Verständnis füreinander. Auch wenn es manchmal turbulent und laut (»Löwengebrüll«) zugehen mag, in der Regel sind Verbindungen zwischen zwei Vertretern des Tierkreiszeichens Löwe ziemlich stabil und können deshalb manche Belastungen ertragen.

 Löwe mit Jungfrau

In der Verträglichkeitsskala steht die Jungfrau beim Löwen ganz unten, weil zahlreiche Wesensgegensätze sehr viel Zündstoff bergen. In einer losen Verbindung wirkt sich das weniger aus – im Gegenteil, hier vermögen sie sich ausgezeichnet zu ergänzen. Bei gemeinsamen Unternehmungen kann die sorgsam planende Jungfrau dem impulsiven und deshalb oft unbedachten Löwen manchen Reinfall ersparen, während die Jungfrau von der Dynamik und Sicherheit des Löwen profitiert. In einer engen Zweierbindung sieht es etwas anders aus: Die kritische Zurückhaltung der Jungfrau geht dem offenen und aktiven Löwen auf die Nerven, während die Jungfrau es unerträglich findet, den Löwe-Partner unentwegt bewundern zu sollen. Dessen Großzügigkeit widerspricht der Sparsamkeit der Jungfrau, und so fehlt es nicht an Konfliktstoff. Beide brauchen einige Zeit, um sich auf die Eigenheiten des anderen einzustellen, damit es im täglichen Miteinander nicht allzu viele Reibungen gibt. Wenn sie sich jedoch erst einmal aufeinander abgestimmt haben, kann die Partnerschaft für beide nutzbringend sein, da die Jungfrau die materielle Sicherheit stabilisiert und der Löwe der Jungfrau durch die Einsicht, dass Arbeit und Pflichterfüllung nicht alles im Leben sind, hilft, auch die angenehmeren Seiten des Daseins kennen zu lernen. Bei gegenseitiger Rücksichtnahme kann eine Löwe-Jungfrau-Verbindung durchaus materiell und menschlich von Gewinn, beglückend und von Dauer sein.

Löwe mit Waage

Mit 5 Punkten ist diese Verbindung in der Verträglichkeitsskala recht günstig bewertet, denn beide Partner haben vieles gemeinsam: Beide lassen es sich gern gut gehen, schätzen die angenehmen und schönen Dinge des Lebens, sind vielseitig interessiert, reisen gern, sind kontaktfreudig. Obendrein sind beide ehrgeizig und streben nach sozialem und beruflichem Aufstieg. An einer kultivierten Häuslichkeit sind sie gleichermaßen interessiert. In der Regel finden der selbstsichere, großzügige Löwe und die charmante Waage rasch Kontakt. In einer engen Zweisamkeit kommen dann freilich so manche Wesensgegensätze an den Tag: Den Löwen nerven die Entschlussschwäche der Waage und deren Neigung, ihn wegen vielfältiger anderweitiger Kontakte mehr oder weniger zu vernachlässigen, ihm nicht ständig die gebührende Bewunderung zukommen zu lassen. Die auf Ausgleich bedachte, verbindliche Waage stört die ungestüme, manchmal rücksichtslose und egoistische Art des Löwen und seine Sucht, sich immer ins Rampenlicht stellen zu wollen. Häufig hat sie freilich für diese Eigenart des Partners Verständnis, denn auch sie braucht Lob und Anerkennung. Und da in der grundsätzlichen Lebenseinstellung, aber auch im Alltagsverhalten die Gemeinsamkeiten bei weitem überwiegen und es auch auf sexuellem Gebiet meist ausgezeichnet klappt, sind Löwe-Waage-Verbindungen trotz gelegentlicher Differenzen in der Mehrzahl ungemein stabil.

 Löwe mit Skorpion

Wenn der tiefgründige, häufig von inneren Spannungen erfüllte Skorpion eine enge Bindung eingeht, will er den Partner ganz in Besitz nehmen, wünscht, dass dieser völlig in ihm aufgeht, sich auf ihn konzentriert. Dem extravertierten, selbstbewussten und stark ichbezogenen Löwen jedoch ist eine solche totale

Hingabe fremd. Da er offen und direkt ist, stört ihn die Neigung des Skorpions, sich zu verschließen, sein Innerstes zu verbergen; der Skorpion seinerseits betrachtet die kontaktfreudige Herzlichkeit des Löwen als Oberflächlichkeit. Beide besitzen ein ausgeprägtes Selbstbewusstsein, das ihnen ein Nachgeben bei Auseinandersetzungen erschwert. Und zu solchen Auseinandersetzungen kann es wegen der Dickschädligkeit beider Partner und ihrer Tendenz, Hindernissen nicht diplomatisch aus dem Weg zu gehen, sondern frontal gegen sie anzurennen, recht häufig kommen; in der Regel geht es dabei sehr lautstark zu. Dadurch werden Löwe-Skorpion-Partnerschaften immer wieder auf eine Zerreißprobe gestellt. Eine weitere Belastung ergibt sich, wenn sich beide in einen endlosen, aufreibenden Kampf um die Vorherrschaft einlassen, der mit großer Erbitterung geführt werden kann. Trennungen sind wegen all dieser Schwierigkeiten keineswegs selten, doch gibt es auch zahlreiche dauerhafte Partnerschaften, die freilich recht wechselhaft und für beide Seiten anstrengend sein können. Häufig wirkt eine tiefe erotische Bindung stabilisierend.

 Löwe mit Schütze

Mit 6 Punkten steht der Schütze in der Verträglichkeitsskala beim Löwen ganz oben, besteht doch zwischen beiden eine weitgehende Übereinstimmung in Gefühlen, Gedanken und Zielen. Beide sind ehrgeizig und kontaktfreudig, lieben den Luxus, sind offen und umgänglich, haben Schwung und Temperament, können fröhlich, amüsant und ungemein unterhaltsam sein. Auch auf sexuellem Gebiet sind sie gleichermaßen impulsiv, feurig und begeisterungsfähig. Deshalb sind Löwe und Schütze häufig schon bei der ersten Begegnung Feuer und Flamme füreinander. Die vielen Gemeinsamkeiten erzeugen einen Gleichklang, der rasch zu einer engen Bindung führen kann. Diese wird recht harmonisch und von Dauer sein, wenn beide Partner

es verstehen, bestimmte Gegensätzlichkeiten einzudämmen, aus denen sich Reibereien und Konflikte ergeben können. So werden Selbstwertgefühl und Geduld des Löwen durch das vielseitig nach außen gerichtete Kontaktbedürfnis des Schützen strapaziert, wodurch er sich vernachlässigt und zurückgesetzt fühlt, während der Autoritätsanspruch des Löwen und sein Hang, sich stes in den Mittelpunkt zu stellen und Bewunderung zu verlangen, dem freiheitsliebenden und kaum minder selbstbewussten Schützen auf die Nerven gehen. Autoritäres Verhalten und übertriebene Eifersucht des besitzergreifenden Löwen können die Verbindung ebenso belasten wie die bedenkenlose, manchmal sehr verletzende Offenheit und eine gewisse »Aushäusigkeit« des Schützen.

 Löwe mit Steinbock

Der zurückhaltende, in sich gekehrte, grübelnde Steinbock und der extravertierte, herzliche, meist wenig tiefgründige Löwe sind in ihrem Wesen sehr verschieden. In einer losen Partnerschaft können die Gegensätze zu einer erfolgreichen Ergänzung führen: Der Löwe sorgt für entschlossene Planung und dynamische Durchführung, während der gewissenhafte Steinbock für die stabile Absicherung zuständig ist und mit beharrlicher Zähigkeit alle Widerstände wegräumt. Zwischenmenschlich fühlt sich der eher gehemmte Steinbock zum Selbstsicherheit ausstrahlenden Löwen hingezogen, während dieser die verlässliche Stabilität des Steinbocks schätzt. In einer engen Zweierbindung ergeben sich allerdings vielfältige Probleme: Nur schwer unterwirft sich der Steinbock dem Herrschaftsanspruch des Löwen; diesen wiederum bringen die Verhaltenheit und »Knauserei« des Steinbocks zum Rasen, die seiner Offenheit und Großzügigkeit völlig widersprechen. Gegensätzlich ist häufig auch ihre grundlegende Einstellung zur Sexualität, was freilich meist erst nach einiger Zeit offenbar wird. So kommt es zu Enttäuschungen, die bei beiden tiefe Depressionen auslösen können. In dieser Situation ist die Verbindung aus eigener Kraft kaum mehr zu retten; einfühlsame Freunde, die das Vertrauen beider Partner haben, können jetzt eine große Hilfe sein. Stabilisierend sind gemeinsame Interessen (beispielsweise Reisen, Sport, Naturliebe) und die bei den Vertretern beider Tierkreiszeichen ausgeprägte Loyalität.

 Löwe mit Wassermann

Der Löwe ist im Grunde seines Herzens konservativ, der Wassermann hingegen progressiv; der Löwe will herrschen, Besitz ergreifen, den Partner in Beschlag nehmen, der Wassermann braucht viel Freiheit; der Löwe ist wirklichkeitsbezogen und auf die Umwelt konzentriert, der Wassermann denkt abstrakt und ist weltweit interessiert. Gewiss, Gegensätze ziehen sich bekanntlich an, und so kann es sein, dass beide beim ersten Kennenlernen voneinander fasziniert sind und sich zueinander hingezogen fühlen, aber in einer engen Verbindung müssen doch beide ein nicht geringes Maß an Selbstüberwindung aufbringen, um die Partnerschaft nicht zu einem zermürbenden Tauziehen werden zu lassen. Da beide eigenwillig und selbstbewusst sind, fällt es ihnen schwer, zurückzustecken und Abstriche zu machen. Am besten können die Gegensätze überbrückt werden, wenn der Löwe-Partner an den vielfältigen Interessen des Wassermanns Anteil nimmt und dieser sich bemüht, sich stärker auf die Zweisamkeit zu konzentrieren, als es ihm von Natur aus behagt. Beiden ist es allerdings nur wenig gegeben, sich auf die ganz andere Eigenart des Partners einzustellen, und so kann es immer wieder zu Reibereien und offenen Auseinandersetzungen kommen, an denen die Verbindung jedoch nicht unbedingt zerbrechen muss, denn beide Partner sind nicht konfliktscheu und geben auch bei Schwierigkeiten nur selten auf.

Löwe mit Fische

Dauerhafte und glückliche Löwe-Fische-Partnerschaften sind gar nicht so selten, wie man auf Grund der niedrigen Bewertung in der Verträglichkeitsskala annehmen möchte. Der gemütstiefe Fische-Geborene fühlt sich vom warmherzigen, großzügigen Löwen stark angesprochen und ist in einer engen Bindung gern bereit, ihm die Führung zu überlassen, ist er doch häufig recht unsicher und empfindet die »starke Hand« des Löwen als hilfreiche Stütze. Dem Löwen seinerseits tun die Anschmiegsamkeit und Bewunderung des Fische-Partners wohl. Das erklärt, warum zum Erstaunen der Mitwelt viele solcher Verbindungen für beide Partner überraschend beglückend sind. Ohne viel gegenseitige Rücksichtnahme ist das freilich nicht möglich: Der extravertierte Löwe muss sich bemühen, den verhaltenen Partner nicht allzusehr in den für ihn notwendigen Trubel hineinzuziehen, und darf ihn auch nicht allzu offen diktatorisch beherrschen wollen, denn dann kann es passieren, dass der Fisch ihm still und klaglos davonschwimmt. Umgekehrt muss sich der Fische-Geborene auf den großzügigen Rahmen einstellen, in dem der Löwe sich wohl fühlt, muss lernen, das gelegentliche »Löwengebrüll« zu verkraften, das meist gar nicht so schlimm gemeint ist, wie es sich anhört. Die Herzlichkeit und Großzügigkeit des Löwen sowie die Anpassungsfähigkeit und Verständnisbereitschaft des Fische-Partners erleichtern die gegenseitige Einstellung auf die Eigenart des anderen sehr und schaffen eine Harmonie, die sich auch unter Alltagsbelastungen bewährt.

Die Astrologen. Titelbild von 1596

Der Einfluss des Aszendenten

Der Aszendent, d. h. das Tierkreiszeichen, das im Augenblick der Geburt am östlichen Horizont steht, ist wegen seiner starken Prägekraft ungemein wichtig; zusammen mit dem Sonnenzeichen liefert er die bedeutsamsten Aussagen, die sich aus einem Geburtshoroskop ableiten lassen. Ohne Berücksichtigung des Aszendenten sind individuelle Deutungen nur unvollkommen.

Um Ihren persönlichen Aszendenten ermitteln zu können, müssen Sie natürlich wissen, zu welcher Zeit Sie geboren sind, weil im Laufe eines Tages alle zwölf Tierkreiszeichen am Osthorizont aufgehen. In dem Kapitel »Mein persönlicher Aszendent« können Sie nachlesen, wie Sie Ihre Geburtszeit in Ortszeit umrechnen. Dann brauchen Sie nur noch auf der Grafik Ihres persönlichen Geburtsdatums bei der ermittelten Zeit Ihren Aszendenten abzulesen.

Der Aszendent ist die Grundlage von Aussagen, die individueller sind als die nur aus dem Sonnenstand abgeleiteten, denn während das Sonnenzeichen Löwe allen Menschen gemeinsam ist, die zwischen Ende Juli und Ende August geboren sind, wird der Aszendent durch den Zeitpunkt und den Ort der Geburt jedes Einzelnen bestimmt. Seine volle Bedeutung gewinnt er freilich erst bei gradgenauer Festlegung als Richtpunkt jenes Häusersystems, das als »Feinraster« für alle Gestirnstände und Konstellationen des Geburtshoroskops ganz persönliche Deutungsmöglichkeiten bietet. Die hierfür erforderlichen Berechnungen und die daraus abzuleitenden Aussagen müssen wir allerdings dem Fachastrologen überlassen.

Der Aszendent beeinflusst die Prägung durch das Sonnenzeichen mehr oder weniger stark, kann bestimmte Tendenzen verstärken oder abschwächen. Inwieweit dies bei Ihnen der Fall ist, können Sie in diesem Kapitel nachlesen.

Aszendent Widder

Der Einfluss dieses Aszendenten verstärkt Dynamik, Tatkraft und Selbstsicherheit. Ihr sonniger Optimismus bewirkt, dass Sie sich kaum je unterkriegen lassen. Obwohl Ihr Energiepotenzial begrenzt ist, was Ihren Mangel an zäher Ausdauer erklärt, werfen Sie bei Schwierigkeiten selten die Flinte ins Korn. Fehlschläge verletzen zwar Ihren Stolz, doch meist wagen Sie nach kurzer Verschnaufpause einen Neubeginn. Sie wissen Ihre Interessen gut zu wahren und sind reichlich ichbezogen, doch ein rücksichtsloser Egoist, der sich auf Kosten anderer durchzusetzen versucht, sind Sie nur bei einem durch andere Faktoren ungünstigen Gesamthoroskop. Ihr Auftreten ist sicher und bestimmt, eine gewisse Autorität strahlt von Ihnen aus. Im zwischenmenschlichen Umgang sind Sie offen und unverbindlich, oft auch herzlich und hilfsbereit. Sie können sehr großzügig sein, erwarten jedoch dafür einen Lohn, nämlich Dankbarkeit und Anerkennung. Wenn Sie nicht die Ihnen nach Ihrer Meinung gebührende Beachtung finden, neigen Sie dazu, sich in den Vordergrund zu schieben, was gelegentlich recht lautstark und demonstrativ geschehen kann. Obwohl sehr gefühlsstark, halten Sie gegenüber Menschen, mit denen Sie nicht sehr vertraut sind, mit Gefühlsäußerungen zurück. Manche Übersteigerungen sind bei Ihnen möglich; so können Sie voreilig, unbedacht, übertrieben risikobereit, eigensinnig, rechthaberisch und sehr hemdsärmelig sein. Ob bei Ihnen solche Übersteigerungen vorliegen, kann nur Ihr persönliches Geburtshoroskop zeigen, doch häufig werden sie durch Ihre positiven Anlagen weitgehend ausgeglichen oder erheblich gemildert.

Aszendent Stier

Sie sind mit zahlreichen Anlagen ausgestattet, die Ihnen das Erreichen auch weitgesteckter materieller Ziele erleichtern. Ihre dynamische Tatkraft wird durch zielgerichtete Besonnenheit gesteuert, die Sie vor überstürztem Handeln und vor unkalkulierbaren Risiken bewahrt. Sie planen auf weite Sicht und bleiben dabei mit Ihrem praktischen Wirklichkeitssinn im Rahmen des Machbaren. Bei auftretenden Schwierigkeiten entwickeln Sie eine überraschende Zähigkeit und Ausdauer, wenn sich das Hindernis nicht rasch durch geballten Krafteinsatz wegräumen lässt. Mit Hilfe dieser Eigenschaften wird Ihnen sehr wahrscheinlich der Aufbau eines komfortablen Lebensrahmens gelingen, auf den Sie großen Wert legen. Vielleicht werden Sie dazu einige Anläufe nehmen müssen, denn sonderlich geschäftstüchtig sind Sie nicht, aber der eine oder andere Fehlschlag zwischendurch kann Sie nicht entmutigen. Sie sind sehr selbstbewusst und zeigen das auch nach außen. Sie erwarten von der Umwelt Beachtung und Anerkennung und sehen sich gern im Mittelpunkt des Interesses, obwohl Ihr Selbstwertgefühl keineswegs immer so stabil ist, wie es nach außen hin scheint. Im Grunde Ihres Herzens sind Sie leicht verletzlich; vermeintliche oder tatsächliche Zurücksetzungen, die Ihren Stolz ankratzen, verkraften Sie nur schwer. Sie können sehr leidenschaftlich sein, sind aber auch sensibel und im Umgang mit Ihnen nahestehenden Menschen meist von einer warmen Herzlichkeit. Obwohl stark ichbezogen, sind Sie doch recht großzügig und außergewöhnlich hilfsbereit. Schwächen können Selbstgefälligkeit, mangelnde Kompromissbereitschaft und stures Festhalten an überholten Standpunkten sein.

Aszendent Zwillinge

In der Regel sind Sie ungemein tatenfreudig, vielseitig interessiert und sehr kontaktfähig. Sie verstehen es, andere zu überzeugen und mitzureißen. Vorwiegend verstandesorientiert, bleiben Sie mit Ihren Zielsetzungen im Rahmen Ihrer Möglichkeiten. Im Umgang mit anderen geben Sie sich freundlich bis herzlich, interessiert und hilfsbereit, sind aber gleichzeitig stets darauf bedacht, die Ihnen nach Ihrem Selbstverständnis gebührende Beachtung und Anerkennung zu finden. Obwohl Sie ungemein dynamisch und energisch wirken, sind Sie keine ausgesprochene Kämpfernatur und weichen frontalen Zusammenstößen nach Möglichkeit aus, doch auf faule Kompromisse nur um des lieben Friedens willen lassen Sie sich nicht ein. Da Ihr Energiepotenzial begrenzt ist, fehlt es Ihnen bei der Verfolgung von Zielen an zäher Ausdauer, und oft gehen Sie auch nicht sonderlich geradlinig vor, weil Sie sich nur schwer längere Zeit auf eine Richtung konzentrieren können. Ihre Vielseitigkeit bringt eine gewisse Zersplitterung mit sich, die es Ihnen erschwert, Ihre Kräfte zu bündeln. Die gelassene Selbstsicherheit, die Sie zur Schau stellen, kann manchmal gespielt sein, denn Sie lassen sich durch Fehlschläge und Enttäuschungen stärker beeindrucken, als Sie nach außen hin zugeben. Einengungen Ihrer Freiräume ertragen Sie nur schlecht, was in der Bindung an einen sehr besitzergreifenden Partner Schwierigkeiten machen kann. Trotz Ihrer Offenheit für die Umwelt tritt Ihre starke Ichbezogenheit immer wieder zutage. Bemühen sollten Sie sich um mehr Beständigkeit und Ausdauer und in zwischenmenschlichen Beziehungen um mehr echte Hinwendung und verständnisvolle Rücksichtnahme.

Aszendent Krebs

Sie geben sich nach außen verhaltener als der »reine« Löwe-Typ, stellen sich weniger in den Vordergrund und zeigen Ihren Mitmenschen mehr herzliche Anteilnahme. Sie sind nicht nur darauf bedacht, selbst zu Wort zu kommen, sondern können auch gut zuhören. Ihr leidenschaftliches Gefühl wird durch eine stärkere Sensibilität vertieft, und so haben Sie nicht nur einen wachen, scharfen Verstand, sondern auch ein intuitives Gespür, das Ihnen sowohl im zwischenmenschlichen Umgang als auch in anderen Bereichen zugute kommt, vor allem bei Problemlösungen aller Art. Vorsicht zügelt Ihre Impulsivität, doch bleibt Ihre grundlegende Dynamik erhalten. Sie sind sich des eigenen Wertes bewusst, aber nicht übermäßig selbstsicher; Fehlschläge und Enttäuschungen können nagende Zweifel in Ihnen wecken. Die Flinte werfen Sie deshalb freilich nicht vorschnell ins Korn und sind immer wieder zu einem neuen Anlauf bereit. Sie sind begeisterungsfähig und hilfsbereit, was manchmal zu Ihrem Schaden ausgenützt wird; wenn Sie das bemerken, können Sie trotz Ihrer Friedfertigkeit hart zurückschlagen. Freilich ist Ihr eigenes Tun selten völlig uneigennützig, denn zumindest insgeheim erwarten Sie stets Anerkennung und Lob oder auch einen materiellen Lohn, nicht nur für Leistungen im beruflichen Bereich, sondern auch, wenn Sie sich für andere Menschen einsetzen. Ein Wirken im Verborgenen und nur um der eigenen Selbstbestätigung willen liegt Ihnen wenig; wenn Ihr Tun keine Beachtung und Würdigung findet, kann Ihr Leistungswille rasch erlahmen. Sie können zwar erstaunlich viel Geduld und Ausdauer aufbringen, doch sonderlich beständig sind Sie nicht. Manchmal fehlt es Ihnen an Entschlusskraft und gradliniger Zielstrebigkeit.

Aszendent Löwe

Wenn sich Sonne und Aszendent zum Zeitpunkt der Geburt im gleichen Tierkreiszeichen befinden, wird dessen Prägekraft im Positiven wie im Negativen verstärkt. Sie wirken sehr dynamisch, sicher und selbstbewusst, sind auf Beachtung und Anerkennung bedacht, stehen nur ungern im Hintergrund. Obwohl ein Verstandesmensch, sind Sie nicht kühl berechnend, sondern recht impulsiv und oft sogar ausgesprochen risikofreudig, was Ihnen manche Fehlschläge einbringen kann. Dadurch lassen Sie sich allerdings nicht erschüttern; Ihr Selbstwertgefühl wird kaum angekratzt, weil Sie die Schuld nicht bei sich, sondern bei anderen oder bei »widrigen Umständen« sehen. Sie sind herzlich, hilfsbereit und großzügig, nicht nur anderen, sondern auch sich selbst gegenüber; sehr selbstkritisch sind Sie meist nicht. Stark fühlen Sie sich zu den Annehmlichkeiten des Lebens hingezogen, schätzen den kultivierten Genuss. Manchmal fällt es Ihnen schwer, den hierfür notwendigen stabilen materiellen Rahmen zu schaffen, denn bei aller Dynamik sind Sie nicht übermäßig fleißig, zielsicher oder ausdauernd. Immerhin verstehen Sie es geschickt, sich Ihnen bietende Chancen zu nutzen und das Beste daraus zu machen, so dass Sie häufig die Ihrem Selbstverständnis gemäße gehobene berufliche und soziale Position erlangen. Überstarke Ichbezogenheit kann privat und beruflich Schwierigkeiten schaffen, übertriebene Großzügigkeit die materielle Sicherheit gefährden. Ihre Leidenschaftlichkeit kann zu drängender Triebhaftigkeit übersteigert sein. Bemühen Sie sich um eine zielvolle Kanalisierung Ihrer Energien, um mehr Rücksichtnahme gegenüber der Umwelt und ganz allgemein um mehr Mäßigung, Verlässlichkeit und Stabilität.

Aszendent Jungfrau

Ihre impulsive Dynamik wird durch einen klaren, sachlichen Verstand gesteuert, so dass Sie zwar tatenfreudig, aber weniger abenteuerlustig und risikobereit sind. Zwar ist Ihr Energiepotenzial begrenzt, aber Sie verstehen die Kräfte methodisch auf wirklichkeitsbezogene Ziele zu richten, so dass Sie in der Regel rascher zu materiellen Erfolgen kommen als der »reine« Löwe-Typ. Verstärkt werden durch den Einfluss des Aszendenten Selbstwertgefühl und Freiheitsbedürfnis; jede Unterordnung fällt Ihnen schwer, und eine Einengung Ihrer persönlichen Freiräume ist für Sie unerträglich. Sie sind kein geborener Jasager und Befehlsempfänger, doch bewahrt Sie andererseits Ihr gesunder Menschenverstand davor, zum »ewigen Rebellen« zu werden, der überall aneckt und sich ständig selbst Knüppel zwischen die Beine wirft. Selbstverständlich ist für Sie, für erbrachte Leistungen Beachtung, Beifall und Lohn zu erhalten; ein Wirken im Verborgenen nur um der Selbstbestätigung willen kann Sie nicht befriedigen. Sonderlich anpassungsfähig sind Sie nicht, gleichen das jedoch durch große Vielseitigkeit und geistige Wendigkeit aus, und obendrein sind Sie mit viel Überzeugungskraft und Eindringlichkeit häufig imstande, andere dazuzubringen, sich Ihnen anzupassen. Im zwischenmenschlichen Umgang sind Sie sehr gesellig und verbindlich, gehen jedoch selten ganz aus sich heraus. Meist sind Sie ein interessanter Gesprächspartner. Wegen Ihrer starken Ichbezogenheit fällt Ihnen echte innere Anteilnahme schwer, was allerdings kaum bemerkt wird, weil viele Ihre höfliche Freundlichkeit mit Hinwendung und Herzlichkeit verwechseln. Ausgesprochen fürsorglich und gefühlsstark sind Sie hingegen in engen Zweierbindungen.

Aszendent Waage

Sie sind vorwiegend verstandesorientiert, aber das bewahrt Sie keineswegs vor unbedachten Impulshandlungen, denn auf der anderen Seite sind Sie ungemein dynamisch, risikobereit und aus kaum zu zügelnder Neugier abenteuerlustig. Sie neigen zu spektakulären und nicht immer wohlüberlegten Aktionen, weil Sie darauf aus sind, Beachtung zu finden, und kühne Unternehmungen, die Aufsehen erregen, sind am besten dazu angetan, Sie so in den Mittelpunkt zu stellen, wie Sie es erstreben. Obwohl Sie das Eigeninteresse stets im Auge behalten, denken Sie nicht daran, sich auf Kosten anderer hochboxen zu wollen, denn Sie nehmen Rücksicht auf die Belange Ihrer Umwelt, sind im Grunde Ihres Herzens hilfsbereit und auf einen fairen Ausgleich der Interessen bedacht; Ihr Gerechtigkeitssinn ist stark ausgeprägt. In zwischenmenschlichen Beziehungen sind Sie sehr umgänglich, freundlich, höflich und kontaktbereit, und als wissensreicher, interessanter Gesprächspartner finden Sie schnell Anschluss. Sie lieben die Geselligkeit und haben gern fröhliche Menschen um sich, denen gegenüber Sie sich sehr großzügig zeigen. Trotz aller Dynamik sind Sie kein Mensch der harten Ellenbogen, und trotz der zur Schau getragenen Selbstsicherheit fehlt es Ihnen manchmal an Durchsetzungsvermögen, weil Ihr Energiepotenzial und Ihre Ausdauer begrenzt sind. Immerhin sichern Ihnen methodische Planung und klare Zielsetzungen in der Regel den angenehmen materiellen Rahmen, in dem Sie sich wohl fühlen. Da Sie jedoch einen starken Hang zu den Annehmlichkeiten des Lebens haben, kann es vorkommen, dass durch Genuss- und Verschwendungssucht diese finanzielle Basis gefährden. Selbstdisziplin ist angesagt.

Aszendent Skorpion

Sie verfügen über ein größeres Kräftepotenzial und einen noch stärkeren Willen als der »reine« Löwe-Typ, sind disziplinierter und zielstrebiger, und so gelingt es Ihnen vermutlich besser, sich früh schon den bequemen materiellen Lebensrahmen zu schaffen, der dem Löwe-Geborenen so sehr am Herzen liegt. Vorsichtige Planung verringert die Gefahr von unbedachten Impulshandlungen, die den Aufstieg gefährden könnten. Dennoch sind auch Sie tatenfreudig und auf Anerkennung durch die Mitwelt bedacht, stehen gern im Mittelpunkt und brauchen den Beifall anderer, doch all das wollen Sie weniger durch spektakuläres Aufsehen oder rücksichtsloses Vordrängen als durch solide Leistung erreichen, und so konzentrieren Sie häufig einen Großteil Ihrer Kräfte auf das Berufsleben, ohne indes zum verbissenen Karrierejäger zu werden. Davor bewahrt Sie Ihre Freude an den Annehmlichkeiten des Lebens, die Sie vermutlich vor allem auf erotischem Gebiet suchen, denn Sie sind in der Regel sehr leidenschaftlich und triebstark. Im zwischenmenschlichen Umgang sind Sie trotz freundlicher Verbindlichkeit eher verhalten und sparsam mit Gefühlsäußerungen, gehen Konfrontationen aus dem Weg und bevorzugen den vernünftigen Kompromiss, der beiden Seiten gerecht wird. In Partnerschaften erstreben Sie zwar die führende Rolle, nehmen jedoch auf die Belange des anderen Rücksicht. Sie geben und erwarten Offenheit, Hinwendung und Treue; auf Unaufrichtigkeit und Verrat reagieren Sie sehr heftig und können sehr nachtragend sein. Eine Ihrer Schwächen ist die Anfälligkeit für Schmeicheleien, die manchmal zu Ihrem Schaden bewusst ausgenützt wird, um Ihre Hilfsbereitschaft und Großzügigkeit zu stimulieren.

Aszendent Schütze

Gesteigert wird unter dem Einfluss dieses Aszendenten Ihre Dynamik durch große Wendigkeit und Vielseitigkeit, aber das ist nicht unbedingt ein Vorteil, weil dadurch auch die Gefahr unüberlegter Impulsivität und einer Zersplitterung der Interessen und Zielsetzungen vergrößert wird. Durch Impulse aus der Außenwelt, der Sie sehr offen gegenüberstehen, lassen Sie sich leicht beeinflussen und ablenken, obwohl Sie an sich einen starken Willen haben und sehr selbstsicher wirken. Ihre geistige Regsamkeit macht Sie ungemein neugierig; Sie streben nach Horizonterweiterung auf allen Gebieten, was sich auch in Reise- und Abenteuerlust offenbaren kann und Sie außergewöhnlich kontaktfreudig macht. Als interessanter, kenntnisreicher Gesprächspartner finden Sie rasch Anschluss, und da Sie es verstehen, auf die Mitmenschen einzugehen und Ihnen mit Ihrer freundlichen Hilfsbereitschaft ein Gefühl innerer Zuwendung zu vermitteln (die in Wirklichkeit häufig gar nicht besteht), sind Sie in Ihrem meist großen Bekannten- und Freundeskreis sehr beliebt. Sie genießen es, anerkannt zu sein und im Mittelpunkt zu stehen; kaum etwas ist für Sie schlimmer, als unbeachtet im Hintergrund bleiben zu müssen. Anderen und auch sich selbst gegenüber sind Sie großzügig, doch fällt es Ihnen manchmal schwer, den dafür notwendigen materiellen Rahmen zu schaffen und abzusichern, denn Sie sind weder sonderlich geschäftstüchtig noch besonnen im Umgang mit Geld. Obendrein sind Sie nicht sonderlich ausdauernd und manchmal recht sprunghaft in Ihrem Handeln und in Ihren Zielsetzungen, lassen es an vorausschauender Planung fehlen und geben vorschnell auf. In einer Partnerschaft sind Sie ausgesprochen fürsorglich und loyal.

Aszendent Steinbock

Der Einfluss dieses Aszendenten steigert und stabilisiert Ihr Energiepotenzial, was Ihnen mehr Ausdauer und Zielstrebigkeit verleiht. Das kommt besonders Ihrem beruflichen und sozialen Aufstieg zugute, an dem Ihnen sehr viel liegt. Sie wollen nicht unbeachtet im Schatten stehen, sondern eine Position erreichen, die Ihnen die Anerkennung der Mitwelt, aber auch einen komfortablen materiellen Lebensrahmen sichert. Dieses Ziel steuern Sie mit großer Selbstsicherheit, aber auch mit viel Leistungsbereitschaft an; Sie jagen keinen Wunschvorstellungen nach, sondern bleiben stets wirklichkeitsbezogen. Als Optimist lassen Sie sich durch Rückschläge nicht entmutigen. Da Sie Geld besser zusammenhalten können als der »reine« Löwe-Typ, sind Sie, auch wenn der Aufstieg vielleicht länger dauert, durchaus imstande, eine stabile finanzielle Basis zu schaffen, die es Ihnen ermöglicht, ohne Übertreibungen anderen und sich selbst gegenüber großzügig zu sein. Es fällt Ihnen schwer, sich unterzuordnen und anzupassen, und unerträglich ist es für Sie, gegängelt und herumkommandiert zu werden. Wenn Anpassung unerlässlich ist, erreichen Sie häufig mit Zähigkeit und Überzeugungskraft, dass andere sich Ihnen anpassen; erleichtert wird Ihnen das durch eine gewisse Autorität, die von Ihnen ausstrahlt. Nach außen geben Sie sich zwar höflich und verbindlich, sind im Gefühlsausdruck eher verhalten, aber wenn es um grundsätzliche Interessen geht, können Sie sehr bestimmt, unnachgiebig und kompromisslos sein. In einer Zweierbindung sind Sie gefühlsstark, fürsorglich, meist treu und sehr auf das Wohl des Partners bedacht, erwarten jedoch von ihm Anerkennung, Lob und bedingungslose Zuwendung.

Aszendent Wassermann

Sie sind verstandesorientiert und extravertiert, gehen mit dynamischem Tatendrang auf die Umwelt zu, um gestaltend auf sie einzuwirken. Allerdings sind Sie weniger impulsiv als der »reine« Löwe-Typ, weil weitsichtiges Planen Ihr Tun steuert und Sie sich bei aller dem Neuen aufgeschlossenen Abenteuerlust kaum je auf unkalkulierbare Risiken einlassen. Sie wirken sehr selbstsicher und bestimmt, sind fast fanatisch auf Unabhängigkeit und Freiheit bedacht, nehmen jedoch stets Rücksicht auf die berechtigten Interessen Ihrer Mitmenschen und lehnen es ab, andere als Trittleiter für Ihren Aufstieg zu benutzen. Diese Rücksichtnahme befähigt Sie zu erfolgreicher Teamarbeit, obwohl Sie am liebsten auf sich selbst gestellt sind, weil Sie dann am ehesten die Beachtung und Anerkennung zu finden hoffen, die Ihr Selbstwertgefühl braucht. Sie sind zwar sehr willensstark, aber nicht unbelehrbar stur; wenn Sie eingesehen haben, dass es Ihren Zielsetzungen dienlich ist, sind Sie durchaus bereit, Ihre Standpunkte kritisch zu überprüfen und notfalls zu revidieren. Ein intuitives Gespür für unterschwellige Strömungen kann Ihnen in manchen Lebenslagen zugute kommen. Harte Konfrontationen vermeiden Sie, doch wenn Ihr Gerechtigkeitsgefühl verletzt wird oder Sie aus dem Hinterhalt angegriffen werden, können Sie sehr entschlossen zurückschlagen. Sie lieben die Geselligkeit, sind umgänglich, freundlich und hilfsbereit, setzen sich für andere ein und können sehr großzügig sein. Mit Ihrem originellen Ideenreichtum, Ihrer auf Ausgleich bedachten Zurückhaltung und Ihrer Dynamik sind Sie in der Regel ein sehr beliebter Zeitgenosse.

Aszendent Fische

Ein sehr typischer Löwe sind Sie nicht, denn Ihr Auftreten ist bei aller Selbstsicherheit eher verhalten und vorsichtig, Ihr Durchsetzungswille mehr von Zähigkeit als von Dynamik geprägt, und Gefühle und Intuitionen spielen bei Ihnen eine größere Rolle als beim »reinen« Löwe-Typ. Ihre Hilfesbereitschaft und Großzügigkeit entspringen einer großen Rücksichtnahme auf andere, und wenn Sie auch Beachtung und Anerkennung wünschen, drängen Sie sich doch kaum je mit harten Ellenbogen in den Vordergrund. Zu schaffen macht Ihnen manchmal eine gewisse Entschlussschwäche, an der zum Teil Ihr Gerechtigkeitsgefühl schuld ist, das allen Interessen Genüge tun möchte. Zwar sind Sie ichbezogen, aber hemdsärmeliger Egoismus ist Ihnen fremd.

Mit gesundem Menschenverstand sind Sie bestrebt, unnötige Reibereien und Auseinandersetzungen zu vermeiden, obwohl Ihre Kompromissbereitschaft deutliche Grenzen hat. Sie passen sich nicht bedingungslos an; wenn Sie dazu gezwungen sind, suchen Sie durch geschicktes Taktieren Ihre Belange zu wahren. Häufig fällt es Ihnen schwer, die verlässliche materielle Basis zu schaffen, die für Ihr Wohlergehen und Ihr Lebensgefühl wichtig ist, denn Sie sind nicht sehr geschäftstüchtig, können Geld nicht sonderlich gut zusammenhalten und schätzen die Annehmlichkeiten des Lebens, nicht zuletzt gutes Essen und Trinken. Fehlschläge und Enttäuschungen können Sie erleben, wenn Sie Ihre Möglichkeiten überschätzen oder sich wenig wirklichkeitsbezogene Ziele setzen. Bei den Mitmenschen sind Sie recht beliebt, denn Sie sind umgänglich, freundlich, rücksichtsvoll, treu und stets hilfsbereit.

II.
Meine Einbindung
in das Universum

Mein chinesisches Horoskop

Die jahrtausendealte chinesische Astrologie arbeitet mit einem eigenständigen System, das eine direkte Bezugsetzung zur uns vertrauten Astrologie unmöglich macht. Nach chinesischer Auffassung bestimmen fünf Faktoren Wesenszüge, Fähigkeiten und Schicksal des Menschen: der Jahrestyp, die Jahreszeit, die Doppelwoche, der Tag und die Stunde der Geburt. Seit dem 6. vorchristlichen Jahrhundert wird jedes Jahr einem von zwölf Tiersymbolen zugeordnet, so dass es zwölf verschiedene Jahrestypen gibt. Vom Jahrestyp hängen Wesens- und Gemütsart eines Menschen ab. Ohne Entsprechung im Abendland ist das auf die Gefühlswelt bezogene System der Jahreszeiten, von denen es fünf je einem Element zugeordnete Typen gibt. Auf Verhalten und Stellung innerhalb der Gemeinschaft bezieht sich das System der 24 Doppelwochen. Die Gefühlswelt wird außer durch die Jahreszeit auch durch den Geburtstag bestimmt; die in den chinesischen Stundenkreis der Tiere eingeordnete Geburtsstunde schließlich prägt das leib-seelische Erscheinungsbild des Menschen.

Obwohl der chinesische »Tierkreis« eine Zwölfteilung aufweist, gibt es doch keine vollständige Übereinstimmung, sondern lediglich Entsprechungen. Anhand der Jahrestabelle können Sie Ihren Jahrestyp feststellen und die entsprechende Charakteristik in unserer Übersicht nachlesen. Über die kosmische Prägung durch Jahreszeit und Doppelwoche Ihrer Geburt informieren wir Sie im Anschluss.

31. 1. 1900 - 18. 2. 1901	Ratte	
19. 2. 1901 - 8. 2. 1902	Ochse	
9. 2. 1902 - 28. 1. 1903	Tiger	
29. 1. 1903 - 15. 2. 1904	Hase	
16. 2. 1904 - 3. 2. 1905	Drache	
4. 2. 1905 - 24. 1. 1906	Schlange	
25. 1. 1906 - 12. 2. 1907	Pferd	
13. 2. 1907 - 1. 2. 1908	Ziege	
2. 2. 1908 - 21. 1. 1909	Affe	
22. 1. 1909 - 9. 2. 1910	Hahn	
10. 2. 1910 - 29. 1. 1911	Hund	
30. 1. 1911 - 17. 2. 1912	Schwein	
18. 2. 1912 - 5. 2. 1913	Ratte	
6. 2. 1913 - 25. 1. 1914	Ochse	
26. 1. 1914 - 13. 2. 1915	Tiger	
14. 2. 1915 - 3. 2. 1916	Hase	
4. 2. 1916 - 22. 1. 1917	Drache	
23. 1. 1917 - 10. 2. 1918	Schlange	
11. 2. 1918 - 31. 1. 1919	Pferd	
1. 2. 1919 - 20. 1. 1920	Ziege	
21. 1. 1920 - 7. 2. 1921	Affe	
8. 2. 1921 - 6. 2. 1922	Hahn	
7. 2. 1922 - 14. 2. 1923	Hund	
15. 2. 1923 - 4. 2. 1924	Schwein	
5. 2. 1924 - 24. 1. 1925	Ratte	
25. 1. 1925 - 12. 2. 1926	Ochse	
13. 2. 1926 - 1. 2. 1927	Tiger	
2. 2. 1927 - 22. 1. 1928	Hase	
23. 1. 1928 - 9. 2. 1929	Drache	
10. 2. 1929 - 29. 1. 1930	Schlange	
30. 1. 1930 - 17. 2. 1931	Pferd	
18. 2. 1931 - 6. 2. 1932	Ziege	
7. 2. 1932 - 25. 1. 1933	Affe	
26. 1. 1933 - 13. 2. 1934	Hahn	
14. 2. 1934 - 3. 2. 1935	Hund	
4. 2. 1935 - 23. 1. 1936	Schwein	
24. 1. 1936 - 10. 2. 1937	Ratte	
11. 2. 1937 - 31. 1. 1938	Ochse	
1. 2. 1938 - 18. 2. 1939	Tiger	
19. 2. 1939 - 7. 2. 1940	Hase	
8. 2. 1940 - 26. 1. 1941	Drache	
27. 1. 1941 - 14. 2. 1942	Schlange	
15. 2. 1942 - 4. 2. 1943	Pferd	
5. 2. 1943 - 25. 1. 1944	Ziege	
26. 1. 1944 - 12. 2. 1945	Affe	
13. 2. 1945 - 1. 2. 1946	Hahn	
2. 2. 1946 - 21. 1. 1947	Hund	
22. 1. 1947 - 9. 2. 1948	Schwein	
10. 2. 1948 - 28. 1. 1949	Ratte	
29. 1. 1949 - 16. 2. 1950	Ochse	
17. 2. 1950 - 5. 2. 1951	Tiger	
6. 2. 1951 - 26. 1. 1952	Hase	
27. 1. 1952 - 13. 2. 1953	Drache	
14. 2. 1953 - 3. 2. 1954	Schlange	
4. 2. 1954 - 23. 1. 1955	Pferd	
24. 1. 1955 - 11. 2. 1956	Ziege	
12. 2. 1956 - 30. 1. 1957	Affe	
31. 1. 1957 - 18. 2. 1958	Hahn	
19. 2. 1958 - 7. 2. 1959	Hund	
18. 2. 1959 - 27. 1. 1960	Schwein	
28. 1. 1960 - 14. 2. 1961	Ratte	
15. 2. 1961 - 4. 2. 1962	Ochse	
5. 2. 1962 - 25. 1. 1963	Tiger	
26. 1. 1963 - 13. 2. 1964	Hase	
14. 2. 1964 - 1. 2. 1965	Drache	
2. 2. 1965 - 21. 1. 1966	Schlange	
22. 1. 1966 - 8. 2. 1967	Pferd	
9. 2. 1967 - 29. 1. 1968	Ziege	
30. 1. 1968 - 16. 2. 1969	Affe	
17. 2. 1969 - 5. 2. 1970	Hahn	
6. 2. 1970 - 26. 1. 1971	Hund	
27. 1. 1971 - 18. 2. 1972	Schwein	
19. 2. 1972 - 2. 2. 1973	Ratte	
3. 2. 1973 - 23. 1. 1974	Ochse	
24. 1. 1974 - 10. 2. 1975	Tiger	
11. 2. 1975 - 30. 1. 1976	Hase	
31. 1. 1976 - 17. 2. 1977	Drache	
18. 2. 1977 - 7. 2. 1978	Schlange	
8. 2. 1978 - 27. 1. 1979	Pferd	
28. 1. 1979 - 15. 2. 1980	Ziege	
16. 2. 1980 - 4. 2. 1981	Affe	
5. 2. 1981 - 24. 1. 1982	Hahn	
25. 1. 1982 - 12. 2. 1983	Hund	
13. 2. 1983 - 1. 2. 1984	Schwein	
2. 2. 1984 - 19. 2. 1985	Ratte	
20. 2. 1985 - 8. 2. 1986	Ochse	
9. 2. 1986 - 28. 1. 1987	Tiger	
29. 1. 1987 - 16. 2. 1988	Hase	
17. 2. 1988 - 5. 2. 1989	Drache	
6. 2. 1989 - 26. 1. 1990	Schlange	
27. 1. 1990 - 14. 2. 1991	Pferd	
15. 2. 1991 - 3. 2. 1992	Ziege	
4. 2. 1992 - 21. 1. 1993	Affe	
22. 1. 1993 - 9. 2. 1994	Hahn	
10. 2. 1994 - 30. 1. 1995	Hund	
31. 1. 1995 - 18. 2. 1996	Schwein	
19. 2. 1996 - 6. 2. 1997	Ratte	
7. 2. 1997 - 27. 1. 1998	Ochse	
28. 1. 1998 - 15. 2. 1999	Tiger	
16. 2. 1999 - 4. 2. 2000	Hase	

Ratte

Stürmisch bis unbedacht und voreilig, selbstbewusst bis arrogant, setzt sich gern in Szene, kann und weiß meist viel und lässt dies andere deutlich merken. Kann sich nur schwer unterordnen und bleibt oft eingefahrenen Gewohnheiten verhaftet. Ist zwar im Grund hilfsbereit, aber nur dann großzügig, wenn Lohn und Anerkennung winken. Kann in materiellen Dingen recht erfolgreich sein.

Ochse

Vital, tatkräftig, zielbewusst, meist auch vorausschauend und klug planend. Strebt idealistische Ziele an und setzt sich für deren Verwirklichung ein. Ist in seinem Gefühlsausdruck eher verhalten, obwohl er tiefe Gefühle hegt. Kann mit seinem robusten, rastlosen Tatendrang für seine Mitmenschen manchmal recht anstrengend sein.

Tiger

Ungemein unternehmungslustig, aber auch mit großer Ausdauer bei der Verfolgung von Zielen. Übertriebene Vehemenz kann zu Fehlschlägen führen. Mut kann zu Tollkühnheit übersteigert sein. Ausgeprägtes Selbstbewusstsein neigt zu Selbstüberschätzung und Egozentrik, die Rücksichtslosigkeit zur Folge haben kann. Gefühle sind meist heftig, aber auch unstabil.

Hase

Von manchmal schier unbändiger Energie und rastloser Aktivität. In der Regel für Kunst und Literatur begeistert. Kann trotz der fast beängstigenden Dynamik viel Geduld und Verständnis für andere aufbringen, ist im Grunde des Herzens sehr uneigennützig. Kann mit Hindernissen fertig werden, vor denen die meisten verzagen.

Drache

Unerschrocken, weicht weder Feinden noch Hemmnissen aus, da Mut, Vitalität und Kraft im Überfluss vorhanden sind. Gibt sich häufig schroff und abweisend und hat manchmal nur wenige gute Freunde, ist aber im Innersten ungemein sensibel und hat für die Nöte und Sorgen anderer ein offenes Ohr. Muss lernen, seine Energien zu lenken und sich zu Selbstbeherrschung und Mäßigung zu zwingen.

Schlange

Lebt die großen Energieströme in Aktivitäten aus, die meist von schöpferischem Planen gelenkt werden. Kann mit kreativer Fantasie vielfache Anstöße geben und neue Entwicklungen einleiten, ist aber nicht sonderlich ausdauernd bei der Verfolgung von Plänen, sobald das Tun zur Routine geworden ist und keine neuen Anregungen mehr gibt. Kann eine tiefe Gedanken- und Gefühlswelt haben.

Pferd

Kaum zu bändigender Tatendrang wird in einer Vielzahl von Aktivitäten ausgelebt, die manchmal überstürzt in Angriff genommen werden; bei Hindernissen und Schwierigkeiten erlischt das Interesse rasch, und schnell wird etwas Neues angefangen. Heftige Gefühlsausbrüche sind keine Seltenheit; ansonsten werden Gefühle eher zurückgehalten. Ungeduld kann gegen andere ungerecht und verletzend zum Ausdruck kommen.

Ziege

Gerechtigkeitsfanatiker, der zu Streitsucht und Heftigkeit neigt, aber nur selten Gewalt befürwortet oder anwendet und Konfliktsituationen eher durch passiven Widerstand zu bewältigen versucht. Setzt sich für andere und für Ideale als Kämpfernatur ein. Ist in der Regel kreativ und manchmal künstlerisch veranlagt.

Affe

Steckt voller Pläne, die häufig gleichzeitig in Angriff genommen werden, wobei in vielen Fällen ein eiserner Wille, gute Nerven, vorausschauende Planung und eine realistische Einschätzung der Gegebenheiten zum Erfolg führen. Sollte aber allzu große Zersplitterung und übermäßige Kräfteballungen vermeiden, um nicht sich selbst und anderen zu schaden. Kommt meist aus Schwierigkeiten gut heraus.

Hahn

Ungemein betriebsam und erfolgsorientiert, aber auch sehr ichbezogen, neigt zu Selbstsucht, Geschwätzigkeit und Launenhaftigkeit. Kann sich nur schwer unterordnen. Seine direkte Offenheit ist wohltuend, kann aber auch verletzen. Gewandtheit und
schlagfertiger Witz machen ihn beliebt. Häufig von allen Aspek-
ten der Natur fasziniert und sehr triebstark, aber in den Gefühlen
nicht unbedingt konstant.

Hund

Energiegeladen und ungemein draufgängerisch, aber dabei nicht
unbedingt planvoll und bedacht, lässt sich immer wieder zu blin-
dem Losschlagen hinreißen. Setzt sich kämpferisch für Gerech-
tigkeit und andere Ideale ein, hat gern eine »Mission«, die er
unbeugsam verfolgt. Muss jedoch unbedingt darauf achten, seine Unternehmungen besser zu planen und seine Kräfte nicht zu
verzetteln.

Schwein

Voll kämpferischer Energie, aber mit wenig Ausdauer und
Durchsetzungsvermögen. Setzt sich gern für andere ein, schätzt
aber nicht selten Gegebenheiten falsch ein und neigt zu
vorschnellen Urteilen und unbedachten Reaktionen. Kann künstlerisch vielfältig begabt sein, braucht aber in dieser Hinsicht
meist die Hilfe anderer, um zu Anerkennung und Erfolg zu
gelangen.

Die Jahreszeit

Sie sind in der Feuer-Jahreszeit geboren, die die Wochen vom 22. Juni bis zum 4. September umfasst. Das Element Feuer wird dem Sommer zugeordnet und ist mit dem Süden verbunden; verschwistert ist das Element mit Helligkeit, Wärme und Hitze, auf den Menschen bezogen mit Energie, Freude und Selbstvertrauen. Die Lieblingsfarbe des Feuer-Menschen ist Rot, seine Glückszahl die Sieben.

Wenn Sie niedergeschlagen, abgeschlafft oder seelisch krank sind, vermag Rot Ihnen neue Zuversicht und Spannkraft zu geben, und bei Erkrankungen des Körpers fördern Wärme und Sonnenlicht (je nach den Umständen auch medizinische Bestrahlungen) die Genesung. Am wohlsten fühlen Sie sich in einem Haus oder in Räumen, die nach Süden ausgerichtet sind; am erquickendsten ist Ihr Schlaf, wenn Sie mit dem Kopf nach Süden liegen. Wärmendes Sonnenlicht hilft Ihnen, sich geistig und seelisch zu entspannen.

Sie sind voller Tatkraft, meist optimistisch und haben ein gesundes Selbstvertrauen. Sie streben im Leben nach einem sicheren, tragfähigen Fundament, das Ihnen eine sinnvolle, befriedigende Gestaltung Ihres Daseins ermöglicht und von dem aus Sie auf Ihre Umwelt einwirken können. Gegen eine allzu starke Ichbezogenheit, zu der Sie neigen, sollten Sie ankämpfen und mehr auf Ihre Mitmenschen zugehen. Sie können viel für die Gemeinschaft tun, denn Sie verfügen nicht nur über ein großes Energiepotenzial, sondern können auch mit Umsicht und Weitblick organisieren und planen. Sie stehen gern im Mittelpunkt: Bemühen Sie sich also, für Ihre Mitwelt gleichsam zu einer Sonne zu werden, die anderen Wärme, Licht und Kraft schenkt. Feuer ist unendlich nützlich, kann aber auch verzehren und zerstören. Das gilt nicht nur für das Element Ihrer Jahreszeit, sondern auch für das Feuer, das in Ihnen brennt, für die großen Energien, die das Leben Ihnen mitgegeben hat.

Die 12. Doppelwoche

Sie sind in der zwölften chinesischen Doppelwoche geboren (der Neujahrstag der Chinesen fällt nicht mit dem unseren zusammen), die die Tage vom 23. Juli bis zum 7. August umfasst. Dies ist die Doppelwoche der Sommersonnenwende, die Ihre Anlagen in bestimmter Weise prägt.

Sie sind selbstsicher, erfolgsorientiert und sinnenfroh, stark ichbezogen, nicht sonderlich arbeitsam und wenig flexibel. Sie denken gern in großen Zusammenhängen und entwerfen oft weitreichende Pläne, ohne sich allerdings viel um die wirklichkeitsbezogene Durchführbarkeit und die notwendigen Details zu kümmern. Gern stehen Sie im Mittelpunkt, fühlen sich zum Führer berufen, wollen die Richtung angeben, neue Dinge in Schwung bringen. Häufig verstehen Sie es hervorragend, sich in Szene zu setzen, so dass viele Ihrer Schwächen zunächst verborgen bleiben. Dazu zählen Selbstüberschätzung, mangelnde Zuverlässigkeit, wenig Ausdauer und die Unfähigkeit, nüchtern und präzis zu planen und zu handeln. Wenn Sie auf Hindernisse stoßen, wenn überraschend Probleme auftauchen, ist Ihre Reaktionsfähigkeit durch mangelnde Flexibilität eingeschränkt. Deshalb sind Sie entgegen Ihrer eigenen Überzeugung für Führungspositionen nur dann geeignet, wenn Ihnen ein nüchterner, zuverlässiger Mitarbeiter beigegeben ist, mit dem Sie sich gut verstehen und den Sie als gleichberechtigt und gleichwertig anerkennen. Eine starke Triebfeder bei all Ihrem Tun ist Ihre ausgeprägte Eitelkeit.

Sie lieben die Annehmlichkeiten des Lebens und erstreben für sich einen sicheren, bequemen materiellen Rahmen, aber diesen versuchen Sie eher durch riskante Abenteuer als durch harte Arbeit zu schaffen. Mangel an Planung und Ausdauer kann immer wieder zu Fehlschlägen führen und den von Ihnen so sehr gewünschten sozialen und beruflichen Aufstieg hemmen. Seien Sie weniger ichbezogen, gehen Sie mehr auf Ihre Mitmenschen ein!

Die 13. Doppelwoche

Sie sind in der dreizehnten chinesischen Doppelwoche geboren, die die Tage vom 8. bis zum 23. August umfasst. Dies ist die Doppelwoche der kleinen Hitze, die Ihre Anlagen in verschiedener Weise prägt.

Sie sind unternehmungslustig, selbstbewusst, erfolgsorientiert, können andere überzeugen und mitreißen und sind oft ein charmanter Gesellschafter. Sie wünschen für sich ein Höchstmaß an Freiheit, das Sie freilich mit möglichst geringem Einsatz verwirklichen wollen. Schwere Arbeiten und verpflichtende Verantwortungen übernehmen Sie nur ungern. Sie sind aber keineswegs träge, denn Ehrgeiz und Eitelkeit können Sie zu beträchtlichen Leistungen anspornen, wenn Sie sich davon materiellen Gewinn und sozialen oder beruflichen Aufstieg erwarten. Sie haben Durchblick, wissen, wie in unserer Welt »der Hase läuft«, und so verstehen Sie es geschickt, sich Ihnen bietende Chancen zu nützen, ohne dabei auf andere allzusehr Rücksicht zu nehmen. Da Sie allerdings Details gerne übersehen und ohne große Bedenken Risiken aller Art eingehen, kann es zu mancherlei Fehlschlägen kommen, doch wenn dadurch Ihre persönlichen Interessen bedroht sind, zeigen Sie in solchen Fällen häufig ein überraschendes Stehvermögen. Erheblich weniger Einsatzfreude und Durchhaltekraft entwickeln Sie freilich, wenn es nicht um Ihren eigenen Vorteil geht.

Sie sind sehr ichbezogen, betrachten sich gern als Mittelpunkt der Welt. Sie können verbindlich und großzügig, aber auch sehr launenhaft und selbstsüchtig sein. Oft ist Ihre scheinbare Herzlichkeit nur gespielt, um sich irgendwelche Vorteile zu verschaffen. Versuchen Sie, auf Ihre Umwelt und die Belange Ihrer Mitmenschen mehr Rücksicht zu nehmen, anstatt alles und jeden als Trittleiter für Ihren eigenen Aufstieg benutzen zu wollen.

Mein indianisches Horoskop

Obwohl sie auf einem Welt und Menschenbild beruht, das von unseren abendländischen Vorstellungen sehr verschieden ist, gelangt auch die indianische Astrologie zu Einsichten über den Menschen, die den uns vertrauten Horoskop-Aussagen verblüffend ähnlich sind. Auch für den Indianer ist der Mensch in das Universum eingebunden, ist Bestandteil eines engen Geflechts von Beziehungen und Wechselwirkungen, das die ganze – belebte und unbelebte – Welt durchzieht.

Das wichtigste Bezugssystem unserer Astrologie ist der Tierkreis mit seinen zwölf Zeichen, durch die das Jahr gegliedert wird. Nach Auffassung der Indianer tritt der Mensch mit seiner Geburt in einen magischen Kreis ein, der die ganze Welt in sich einschließt. Vier Abschnitte unterteilen das Universum, den Jahres- und Tagesablauf und werden durch je ein Tier symbolisiert: Ost – Frühling – Morgen – Adler; Süd – Sommer – Mittag – Kojote; West – Herbst – Abend – Grizzlybär; Nord – Winter – Nacht – Weißer Büffel. Unseren Tierkreiszeichen entsprechen zwölf Monde oder Monate, denen jeweils ein Totem (Zeichen) im Tier-, Pflanzen- und Mineralreich sowie eine Symbolfarbe beigegeben sind.

Sie sind ein Stör-Mensch

Geboren sind Sie unter dem Mond der Reifenden Beeren, der in etwa dem Zeitraum unseres Tierkreiszeichens Löwe entspricht. Ihr Totem im Tierreich ist der Stör, Ihr Totem im Pflanzenreich die Himbeere, Ihre Totems im Mineralreich sind Granat und Eisen, Ihre Symbolfarbe ist Rot. Sie gehören dem Elementeklan der Donnervögel an, deren Element das Feuer ist. Andere Angehörige dieses Klans sind die Roter-Habicht-(Widder-) und Wapiti-(Schütze-)Menschen. Das bedeutet, dass Sie mit diesen viele charakteristische Wesensmerkmale teilen. Geboren sind Sie im Sommer, der Jahreszeit von Shawnodese (Kojote), des Hüters des Geistes aus dem Süden, der auch den Mittag und die Kraft des Wachstums und Vertrauens symbolisiert.

Der Stör-Mensch ist verstandesorientiert, tatkräftig und sehr selbstbewusst, scharfsichtig, mutig und risikobereit. Er ist vielseitig interessiert und verfügt über eine Vielzahl von Fähigkeiten, die ihm im praktischen Alltagsleben zugute kommen. Andererseits hat er meist auch ein intuitives Einfühlungsvermögen, so dass er gut auf andere Menschen und neue Gegebenheiten eingehen kann. Seine Ausstrahlung beruht auf der großen Lebenskraft, die in ihm wohnt. Diese Vitalität kann sich freilich auch als selbstsüchtiger Durchsetzungswille, unkontrollierter Gefühlsausbruch oder genusssüchtige Sinnlichkeit offenbaren.

Er kann großmütig, hilfsbereit und sehr zärtlich sein, aber auch egoistisch, überheblich, unberechenbar, herrschsüchtig und arrogant. Er ist ein feuriger Liebhaber und ein guter Freund, aber wenn er verletzt und beleidigt wird, kann er ein unerbitterlicher, hart zuschlagender Feind werden. Er ist leicht verletzlich, was er freilich meist hinter einer gespielt harten Schale zu verbergen sucht. Er gibt sich freundlich und mitteilsam, öffnet sich aber nur selten ganz, weil er seinen weichen Kern abzuschotten versucht; er will sich keine Blößen geben, sich und anderen keine Schwächen eingestehen.

Da er sehr ichbezogen ist, fühlt er sich oft als Zentrum des Universums, möchte im Mittelpunkt stehen, Führungspositionen einnehmen. Er braucht die Aufmerksamkeit und den Beifall seiner Mitmenschen. Nicht selten überschätzt er in schier grenzenlosem Selbstvertrauen seine Kräfte und Möglichkeiten, geht unbedacht Risiken ein, die ihm Schaden bringen. Zwar lässt er sich durch Fehlschläge kaum entmutigen, aber mehr Besonnenheit

und ehrliche Selbsteinschätzung könnten ihm manches ersparen. Wenn der Stör-Mensch in seinem Planen und Handeln sich
vornehmlich auf seine vielen positiven Anlagen (z. B. Scharf-
blick, Tatkraft und Vielseitigkeit) stützt, kann er es weit bringen.

Partnerschaften

Als Stör-Mensch sind Sie ein Vertreter des Donnervogelklans,
dessen Element das Feuer ist. Dem gleichen Klan gehören auch
die Roter-Habicht-(Widder-) und die Wapiti-(Schütze-)Menschen
an. Mit diesen kommen Sie in der Regel sehr gut zurecht, da
Ihnen viele grundlegende Wesenszüge gemeinsam sind. In einer
engen Partnerschaft kann es freilich eben wegen dieser Überein-
stimmungen zu Reibereien kommen. Nur wenn Sie bereit sind,
Ihre Ichbezogenheit einzudämmen, an sich zu arbeiten und auch
einmal zurückzustecken, ist eine solche Partnerschaft von
Bestand.

Am besten ergänzen Sie sich mit Angehörigen des Schmetterlingsklans, dessen Element die Luft ist. Das Feuer braucht die Luft
zum Brennen, und ohne Feuer wäre die Luft kalt und lebens-
feindlich. Dieser Symbolbezug macht deutlich, dass eine Verbindung zwischen Angehörigen dieser Klans für beide Seiten von
Vorteil ist. Schmetterlingsklan-Menschen bringen das Feuer (die
Energie) der Donnervogelklan-Menschen zum Lodern, helfen
ihnen aber auch mit ihrer Beweglichkeit, Horizont und Wirkungs-
kreis zu erweitern. Umgekehrt können Vertreter des Donnervogelklans den Menschen des Schmetterlingsklans zu mehr Beständigkeit und Konzentration bei der Verfolgung von Zielen verhelfen,
und ihre intensive Gefühlswelt trägt zu einer Vertiefung des Emp-
findens bei. Eine Partnerschaft wird oft recht stürmisch verlaufen,
da beide Seiten aktiv, selbstbewusst und eigenwillig sind. Meist ist
eine Zeit der Anpassung nötig, doch wenn beide sich erst einmal
aufeinander eingestellt haben, werden Partnerschaften erfreulich,
nützlich und von Dauer sein. Dem Schmetterlingsklan gehören
Hirsch-(Zwillinge-), Rabe-(Waage-) und Otter-(Wassermann)
Menschen an.

Recht gegensätzlich sind Angehörige des Froschklans, dessen Element das Wasser ist. Feuer und Wasser vertragen sich nicht, zehren einander auf. In einer engeren Partnerschaft kann es große Anfangsschwierigkeiten geben, da sich die Vertreter der beiden Klans instinktiv voneinander bedroht fühlen. Dennoch kann gerade die Gegensätzlichkeit auf beide Seiten sehr nutzbringend einwirken, indem die bisweilen bedrohliche Dynamik des Feuers gedämpft und andererseits die kühle Verhaltenheit des Wassers belebend erwärmt wird. Mit Geduld und Hingabe seitens des Donnervogelklan-Menschen und einem Bemühen um Öffnung und mehr Dynamik seitens des Froschklan-Menschen kann eine Beziehung zwischen Vertretern der beiden Klans für beide Partner sehr hilfreich sein. Zum Froschklan gehören die Specht-(Krebs-), Schlange-(Skorpion-) und Puma-(Fische-)Menschen.

Das Element des Schildkrötenklans ist die Erde. Feuer erwärmt das Innere der Erde; wenn sich auch dieses irdische Feuer auf das Leben nicht so stark auswirkt wie das Feuer der Sonne, ist es ihm doch ähnlich. Ebenso ähnlich sind sich in vielen Wesenszügen die Angehörigen des Donnervogel- und des Schildkrötenklans. Am Anfang einer Beziehung mag es freilich Schwierigkeiten geben, weil die solide Stabilität der Erde der dynamischen Beweglichkeit des Feuers scheinbar widerspricht; aber wenn erst einmal beide Seiten erkannt haben, dass einerseits dem lodernden Feuer eine feste Grundlage gut tut und andererseits das Feuer die Erde belebt, werden beide von der Partnerschaft viel profitieren. Solche Partnerschaften werden, wenn sie erst einmal eingespielt sind, ungemein stabil sein. Vertreter des Schildkrötenklans sind die Biber-(Stier-), Braunbär-(Junfrau-) und die Schneegans-(Steinbock-)Menschen.

Mein keltisches (Baum-)Horoskop

Nicht Tierkreiszeichen oder Tiere, sondern Bäume sind die Symbole der keltischen Astrologie. Deren Systematik beruht auf den beiden heiligen Zahlen der Kelten, der Drei und der Sieben: Einundzwanzig Bäume gliedern den Jahreslauf.

23.07. bis 25.07.
Ihr Baum ist die *Ulme*. Sie symbolisiert Ruhe und Beherrschtheit, Ernst, Treue, Intelligenz und praktischen Sinn, aber auch hohe Anforderungen und einen Hang zur Rechthaberei. Befehlen ist Ihnen lieber als gehorchen. Das bedeutet für Sie: Sie geben sich verhalten und beherrscht und zeichnen sich durch Geschmack und gepflegten Stil aus. Verpflichtungen nehmen Sie ernst und verlangen von sich und anderen viel. Andererseits sind Sie großzügig und meist recht humorvoll. Eigensinnig und anspruchsvoll, sind Sie kein einfacher Partner und nehmen es schnell übel, wenn man Ihren Vorstellungen nicht gerecht wird. Beruflich und privat planen und handeln Sie wirklichkeitsbezogen und können es deshalb in beruflichen Führungspositionen weit bringen.

26.07 bis 04.08.
Ihr Baum ist die *Zypresse*. Sie symbolisiert Biegsamkeit und heiteren Optimismus, Ausgewogenheit und Kraft, aber auch Heftigkeit und Widerspenstigkeit, Ichbezogenheit und Unzufriedenheit. Das bedeutet für Sie: Zwar wirken Sie nach außen oft unbeschwert und ausgeglichen, freundlich und genügsam, doch dieses Bild kann trügen. Im Grunde Ihres Herzens sind Sie ehrgeizig, streben nach Anerkennung und Ansehen und sind auf die Wahrung Ihrer Interessen bedacht. Sie lassen sich häufig von Ihrem scharfen und gründlichen Verstand leiten. Wenn Sie Ihre Gefühle übermäßig zurückdämmen, kann das zu explosiven Ausbrüchen führen, zu hemmungslosen Wutanfällen ebenso wie zu verzehrender Leidenschaftlichkeit, die Ihnen ein Außenstehender kaum zutraut. Dadurch können enge Beziehungen stark

belastet werden, doch in der Regel sind Sie ein treuer und loyaler Partner, dessen Zuverlässigkeit sich vor allem in Notlagen bewährt.

05.08. bis 13.08.

Ihr Baum ist die *Pappel*. Sie symbolisiert Ernst und Einsamkeit, Ungewissheit und Empfindlichkeit, aber auch hohe Ansprüche und Unzufriedenheit. In praktischen Belangen zeigt sich ein außergewöhnliches Organisationstalent. Das bedeutet für Sie: Zwar sind Sie sich des eigenen Wertes bewusst, doch nicht selten wirken Sie nach außen unsicher und labil. Durch widrige Umstände lassen Sie sich leicht entmutigen und nehmen dann Unwichtiges allzu ernst. Allzu hohe Erwartungen bereiten Ihnen manche Enttäuschung. Oft finden Sie in künstlerischem Schaffen einen Ausgleich für mangelnde zwischenmenschliche Kontakte. Schenkt man Ihnen aber viel Zuwendung und Freundlichkeit, können Sie ein außerordentlich zuverlässiger und dankbarer Partner sein, der Bindungen sehr ernst nimmt und viel für ihre Erhaltung tut; Sie verwandeln sich dann zu Ihrem Vorteil.

14.08. bis 22.08.

Ihr Baum ist die *Zeder*. Sie symbolisiert Schönheit und Anpassungsfähigkeit, Entschlossenheit und Selbstsicherheit, aber auch Ungeduld, Reizbarkeit und Überheblichkeit. Sie möchte gern die Umwelt beeindrucken und stellt hohe Anforderungen an sich und andere. Das bedeutet für Sie: Sie sind entschlossen und tatkräftig, energisch und optimistisch. Sie haben Führungsqualitäten und stehen gern im Vordergrund. Sie lieben Abwechslungen und brauchen vielfache Anregungen, doch bezieht sich diese Abenteuerlust mehr auf den beruflichen als auf den privaten Bereich, denn in einer engen Bindung sind Sie meist ein zuverlässiger Partner, der dem anderen viel Schwung zu geben vermag und sich tatkräftig und vorausschauend für gemeinsame Interessen und Belange einsetzt. Auch in einer Partnerschaft übernehmen Sie gern die Führungsrolle, doch kann man sich Ihrer verantwortungsvollen Führung getrost anvertrauen.

Weltzeitalter, Jahresplaneten, Symbolbezüge

Infolge der Kreiselbewegung der Erdachse (Präzession) wandert der Frühlingspunkt, also der Schnittpunkt von Himmelsäquator und Ekliptik, in rund 2100 Jahren um jeweils ein Sternbild auf dem Tierkreis zurück. An der Spitze des Sternbilds Widder lag der Frühlingspunkt vor rund 4000 Jahren; um die Zeitenwende wanderte er in das Sternbild Fische zurück, und inzwischen ist er im Sternbild Wassermann angelangt. Von den Sternbildern zu unterscheiden sind die gleichnamigen Tierkreiszeichen: Bei diesen handelt es sich um Abschnitte eines auf den Frühlingspunkt ausgerichteten astrologischen Bezugssystems, das durch die Wanderung dieses Punktes nicht verändert wird.

Die Zeitdauer einer vollen Erdachsenumdrehung (rund 25000 Jahre) bezeichnet man als »platonisches Jahr«. Dieses gliedert sich in zwölf jeweils etwa 2100 Jahre umfassende »Weltmonate« (auch Weltzeitalter genannt), die nach alter astrologischer Tradition durch die Wirkqualitäten des Tierkreisabschnitts bestimmt werden, der vom Frühlingspunkt im jeweiligen Zeitraum durchlaufen wird. Eine zusätzliche Prägekraft schrieb man dem im Tierkreis gegenüberliegenden Abschnitt zu, so dass also jeweils zwei polare Tierkreiszeichen wirksam sind.

Wir stehen heute an der Schwelle des Wassermann-Zeitalters, das durch das Tierkreiszeichen Wassermann und den ihm zugeordneten Planeten Uranus gekennzeichnet sein wird. Beide symbolisieren revolutionäre Umbrüche, eine gesteigerte Verbundenheit mit dem All, aber auch eine Verdichtung der Beziehungen innerhalb der Menschheit. Dass die atemberaubende Entwicklung von Wissenschaft und Technik grundlegende Veränderungen (Nutzung der Atomkraft, Computer, Raumfahrt) eingeleitet hat, ist offenkundig. Nachrichten- und Verkehrstechnik haben die Erde gleichsam schrumpfen lassen, haben die Menschen aller Kontinente einander so nahe gebracht wie nie zuvor. Noch ist nicht abzusehen, wohin diese Entwicklung führen wird, ob sie der Menschheit zum Fluch oder zum Segen gereicht.

Etwa von der Zeitwende bis in unsere Tage dauert das *Zeitalter der Fische*. Das welthistorisch bedeutsamste Ereignis dieses Abschnitts war die Entstehung und Entfaltung des Christentums, dessen frühes Symbol die Fische waren. Der Einfluss des polaren Tierkreiszeichens Jungfrau zeigt sich in den Grundzügen der christlichen Religion (Demut, Nächstenliebe usw.), aber auch im Marienkult.

Die beiden Jahrtausende vor der Zeitwende, das *Zeitalter des Widders*, standen unter dem Einfluss des Mars. Große Völkerkriege ließen mächtige Reiche untergehen und führten das Griechenheer Alexander des Großen bis nach Italien. Der polare Waage-Einfluss zeigt sich in den herrlichen Kunstschöpfungen dieser Zeit. Der Widder spielte in manchen Religionen des Orients eine bedeutsame Rolle.

Das 3. und 4. vorchristliche Jahrtausend war das *Zeitalter des Stiers*. Erdverbundener Schönheitssinn und praktisches Denken offenbaren sich in der altägyptischen Kultur. Im ganzen Mittelmeerraum spielten Stierkulte eine wichtige Rolle, wie sie uns am eindrucksvollsten aus Kreta überliefert sind. Der polare Skorpion-Einfluss zeigt sich u.a. in den Totenkulten der damaligen Hochkulturen.

Das *Zeitalter der Zwillinge* (um 6000 – 4000 v. Chr.) wird durch gesteigerte geistige und physische Mobilität gekennzeichnet. In diesen Abschnitt fallen die Verbreitung der Schrift und die Entstehung erster Bibliotheken (China, Zweistromland, Ägypten), aber auch die Erfindung des Rades.

Jahresplaneten kennt man schon seit Tausenden von Jahren. Sie wurden zunächst im vorderasiatischen Kulturraum als Anhaltspunkte für die Zeitrechnung eingeführt; da damals das Jahr im Frühling begann, dauert die »Herrschaft« eines Planeten jeweils vom 21. März bis zum 20. März des Folgejahres. Erst später schrieb man den Jahresplaneten auch astrologische Bedeutung zu und begann, sie in die Deutung von Individualhoroskopen und bei der astrologischen Wettervorhersage einzubeziehen.

Die moderne Astrologie ist davon wieder abgekommen, aber für Interessierte wollen wir mit zwei Übersichten kurz darauf eingehen.

Die Jahresplaneten für das 20. Jahrhundert

Merkur
1900 1907 1914 1921 1928 1935 1942 1949 1956 1963 1970 1977 1984 1991 1998

Mond
1901 1908 1915 1922 1929 1936 1943 1950 1957 1964 1971 1978 1985 1992 1999

Saturn
1902 1909 1916 1923 1930 1937 1944 1951 1958 1965 1972 1979 1986 1993 2000

Jupiter
1903 1910 1917 1924 1931 1938 1945 1952 1959 1966 1973 1980 1987 1994

Mars
1904 1911 1918 1925 1932 1939 1946 1953 1960 1967 1974 1981 1988 1995

Sonne
1905 1912 1919 1926 1933 1940 1947 1954 1961 1968 1975 1982 1989 1996

Venus
1906 1913 1920 1927 1934 1941 1948 1955 1962 1969 1976 1983 1990 1997

»Der Mensch dringt durch den Erdenhimmel in neue Welträume vor.«
Holzschnitt um 1530

Dem Einfluss des Jahresplaneten schrieb man über die individuellen Konstellationen des Geburtshoroskops hinaus folgende
zusätzliche Prägekräfte auf das Wesen der in den jeweiligen Jahren Geborenen zu:

Merkur: vielseitig interessiert, kritisch, verstandesbetont, ehrgeizig, redegewandt und reisefreudig.

Mond: unbeständig, wechselvolles Schicksal, Veränderungen in
der Lebensmitte, Erfolge im Alter.

Saturn: überlegt, konzentriert, ausdauernd, eigensinnig und
verschlossen; langsamer Aufstieg, später Erfolg.

79

Jupiter: großzügig, lebensfroh, optimistisch, gute Aufstiegschancen.

Mars: dynamisch, energisch, leidenschaftlich, starkes Durchsetzungsvermögen, aber auch voreilig und unbedacht.

Sonne: selbstständig, großzügig, aber auch ichbezogen, eigenwillig und triebhaft.

Venus: begeisterungsfähig, schöpferisch, vielseitig interessiert, lebensfroh; Erfolg oft erst in der zweiten Lebenshälfte.

Noch einmal sei gesagt, dass sich der Einfluss eines Jahresplaneten nicht vom 1. Januar bis zum 31. Dezember, sondern vom 21. März bis zum 20. März des folgenden Jahres erstreckt.

Auf die vielfältigen Symbolbezüge von Tierkreiszeichen und Planeten können wir hier nicht im Einzelnen eingehen. Wir wollen sie nur tabellarisch zusammenfassen, und zwar in folgender Reihenfolge:

Tierkreiszeichen — Planetenherrscher — Farben — Metall — Edelsteine — Zahlen — Wochentag.

Widder: Mars — Rot, Kadmiumgelb — Eisen — Rubin, Jaspis, Granat, Diamant, Amethyst — Neun — Dienstag.

Stier: Venus — Gelb, Pastellblau, Hellgrün — Kupfer — Achat, Smaragd, Saphir, Lapislazuli, Türkis, Karneol — Fünf und Sechs — Freitag.

Zwillinge: Merkur — Violett, Safrangelb — Quecksilber — Topas, Bergkristall, Aquamarin, Goldberyll — Fünf — Mittwoch.

Krebs: Mond — Grün, Silber, Weiß — Silber — Kristall, Smaragd, Opal, Mondstein, Perlen — Zwei und Sieben — Montag.

Löwe: Sonne — Orange, Gold, Gelb — Gold — Rubin, Diamant, Hyazinth, Goldtopas, Tigerauge — Eins und Vier — Sonntag.

Jungfrau: Merkur — Violett, Hellblau, Weiß — Quecksilber —

Jaspis, Achat, Karneol, Topas, Turmalin — Fünf — Mittwoch.

Waage: Venus —   Gelb, Pink, Pastelltöne — Kupfer — Diamant, Beryll, Lapislazuli, Türkis, Koralle, Perlen — Fünf und Sechs — Freitag.

Skorpion: Mars — Rot, Braun, Schwarz — Eisen — Topas, Malachit, Jaspis, Rubin, Sardonyx — Neun — Dienstag.

Schütze: Jupiter — Blau, Purpur, warmes Braun — Zinn — dunkelblauer Saphir, Türkis, Amethyst, Lapislazuli, Granat — Drei — Donnerstag.

Steinbock: Saturn — Indigo, Dunkelgrün, Braun, Schwarz — Blei — Onyx, Gagat, Chalzedon, Karneol, Chrysopras, schwarze Perlen — Acht und Fünfzehn — Samstag.

Wassermann: Uranus (früher Saturn) — Indigo, Lila, Violett, irisierende Farben — Blei, Aluminium, Radium — Saphir, Amethyst, Bernstein, Aquamarin, Chalzedon — Acht und Fünfzehn — Samstag.

Fische: Neptun (früher Jupiter) — Blau, Violett, Weiß, schillernde Farben — Platin, Zinn — Chrysolith, Saphir, Topas, Opal, Perlmutt, Kristalle — Drei — Donnerstag.

III.
Mein persönlicher Aszendent

Um Ihren Aszendenten auf dem Ihren Geburtstag betreffenden Schaubild (ab Seite 84) ablesen zu können, müssen Sie Ihre in Mitteleuropäischer Zeit (MEZ) angegebene Geburtszeit zunächst in Weltzeit (WZ) und danach in Ortszeit (OZ) umwandeln. Wenn Sie Ihre genaue Geburtszeit nicht wissen, können Sie sie beim Standesamt Ihres Geburtsortes erfragen.

Einfach ist die Umrechnung von MEZ in Weltzeit: Sie brauchen lediglich von der MEZ eine Stunde abzuziehen. Wenn zum Zeitpunkt Ihrer Geburt die Sommerzeit galt, müssen Sie von Ihrer Geburtszeit zwei Stunden und in den wenigen Zeiträumen mit doppelter Sommerzeit sogar drei Stunden abziehen, um die Weltzeit ermitteln zu können.

Die Ortszeit hängt von der geografischen Länge Ihres Geburtsortes ab. Für jedes Grad östlicher Länge (vom Nullmeridian) müssen Sie zur Weltzeit vier Minuten hinzuzählen. Um Ihnen lange Rechnereien zu ersparen, finden Sie anschließend eine Ortstabelle für den deutschsprachigen Raum, auf der Sie für die wichtigsten Städte die zur Weltzeit zu addierenden Minuten ablesen können. Wenn Ihr Geburtsort in der Tabelle nicht aufgeführt ist, suchen Sie im Atlas eine ungefähr auf dem gleichen Längenkreis liegende Stadt unserer Tabelle und zählen Sie die dort angegebene Zahl von Minuten zu Ihrer in Weltzeit umgerechneten Geburtszeit hinzu.

Ortstabelle für den deutschsprachigen Raum

ORT	Min.	ORT	Min.	ORT	Min.
Aachen	24	Frankfurt/M.	35	Mainz	33
Aarau	32	Frankfurt/O.	58	Mannheim	34
Allenstein	82	Freiburg/Br.	31	Marburg	35
Ansbach	42	Freising	47	Memel	84
Apolda	46	Genf	25	Mülheim/R.	32
Arosa	39	Gera	48	München	46
Aschaffenburg	37	Gießen	35	Münster	31
Augsburg	44	Görlitz	60	Nordhausen	43
Baden-Baden	33	Gotha	43	Nördlingen	42
Bamberg	44	Göttingen	40	Nürnberg	44
Basel	30	Graz	69	Oldenburg	33
Bautzen	58	Hagen	30	Osnabrück	32
Bayreuth	46	Halberstadt	44	Passau	54
Berlin	54	Halle/S.	44	Pirmasens	30
Bern	30	Hamburg	40	Plauen	49
Bielefeld	34	Hannover	39	Regensburg	48
Bochum	29	Heidelberg	35	Rosenheim	48
Bonn	28	Heilbronn	37	Rostock	49
Bozen	45	Helgoland	32	Saarbrücken	28
Brandenburg	50	Hildesheim	40	Salzburg	52
Braunschweig	42	Hof	48	Schleswig	38
Bregenz	39	Ingolstadt	46	Schweinfurt	41
Bremen	35	Innsbruck	46	Schwerin	46
Breslau	68	Jena	46	Speyer	34
Celle	40	Kaiserslautern	31	St. Gallen	38
Cham	34	Karlsruhe	34	Stettin	58
Chemnitz	52	Kassel	38	Steyr	58
Chur	38	Kempten	41	Stralsund	52
Cottbus	57	Kiel	41	Straßburg	31
Danzig	75	Klagenfurt	57	Stuttgart	37
Darmstadt	35	Köln	27	Traunstein	42
Davos	39	Königsberg	82	Trier	27
Dessau	49	Konstanz	37	Ulm	40
Dortmund	30	Krefeld	26	Vaduz	38
Dresden	55	Kufstein	49	Villach	55
Duisburg	27	Lausanne	27	Weimar	45
Düsseldorf	27	Leipzig	50	Wesermünde	34
Eisenach	41	Leoben	60	Wien	66
Emden	29	Lindau	39	Wiesbaden	33
Erfurt	44	Linz	57	Wittenberg	51
Erlangen	44	Lübeck	43	Worms	34
Essen	28	Ludwigshafen	34	Würzburg	40
Esslingen	37	Luxemburg	25	Zürich	34
Feldkirch	38	Luzern	33	Zweibrücken	29
Flensburg	37	Magdeburg	47	Zwickau	50

Ihr Aszendent am 23. Juli

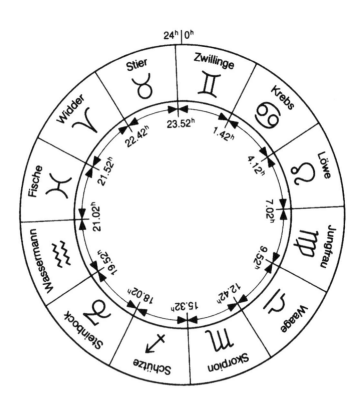

Ihr Aszendent am 24. Juli

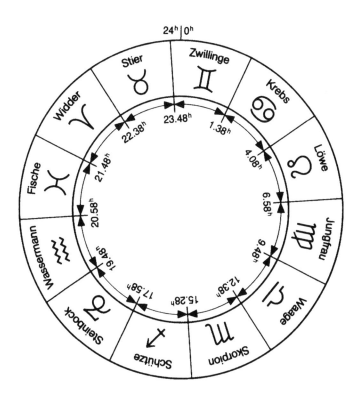

Ihr Aszendent am 25. Juli

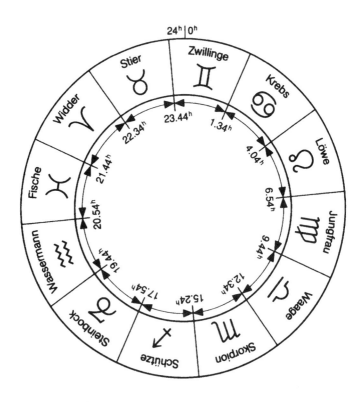

Ihr Aszendent am 26. Juli

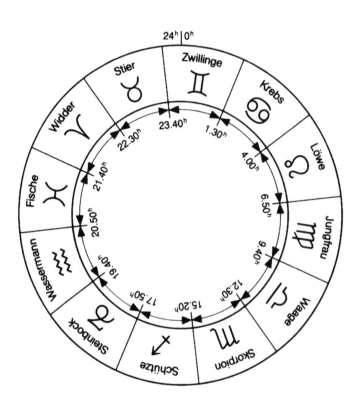

Ihr Aszendent am 27. Juli

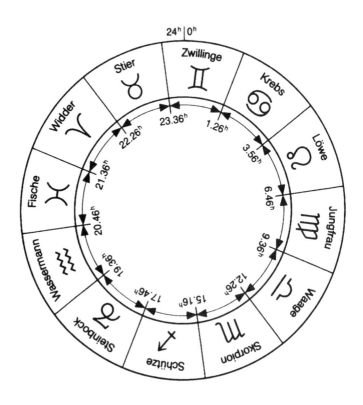

Ihr Aszendent am 28. Juli

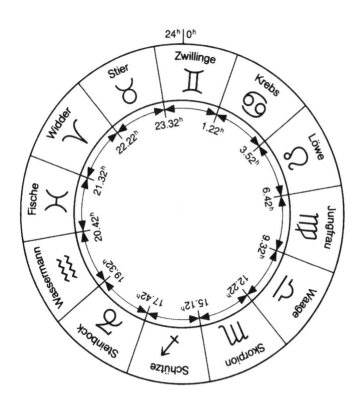

Ihr Aszendent am 29. Juli

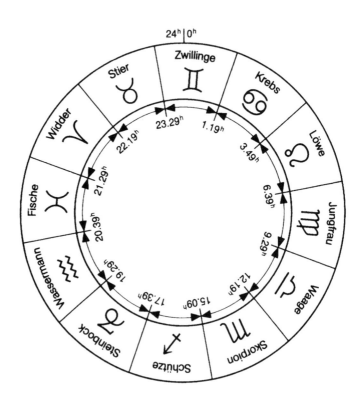

Ihr Aszendent am 30. Juli

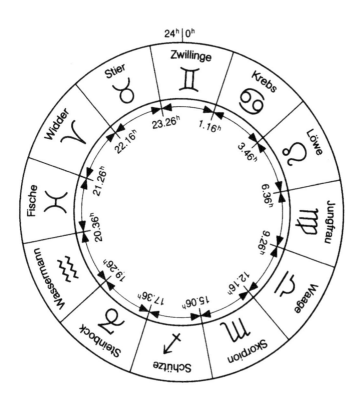

Ihr Aszendent am 31. Juli

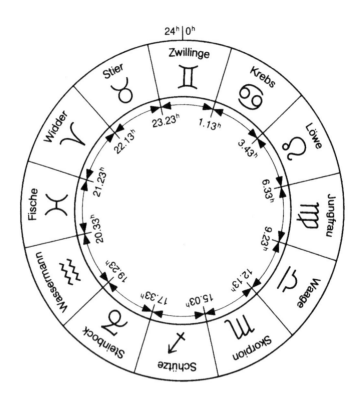

Ihr Aszendent am 1. August

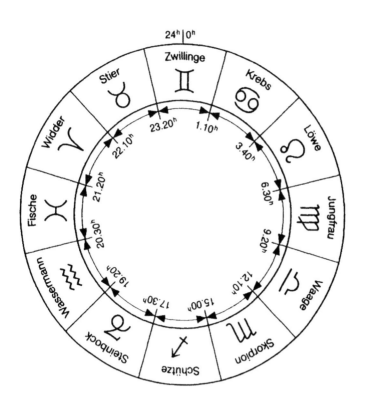

Ihr Aszendent am 2. August

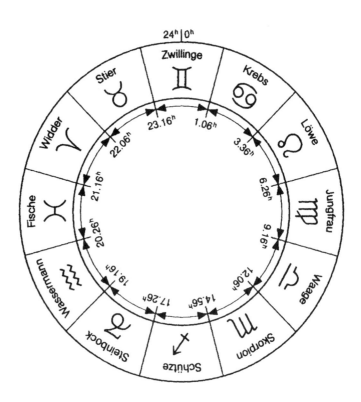

Ihr Aszendent am 3. August

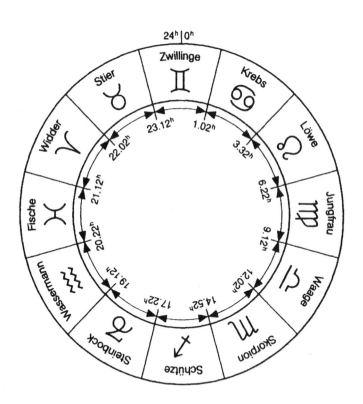

Ihr Aszendent am 4. August

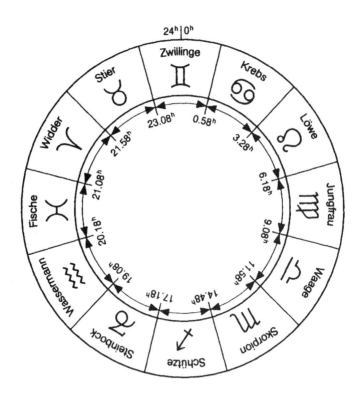

Ihr Aszendent am 5. August

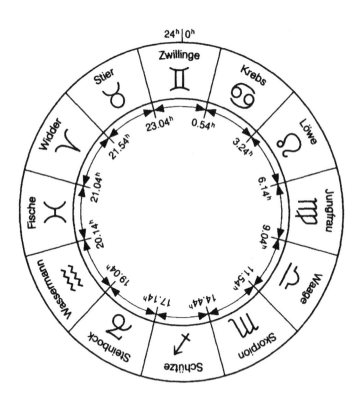

Ihr Aszendent am 6. August

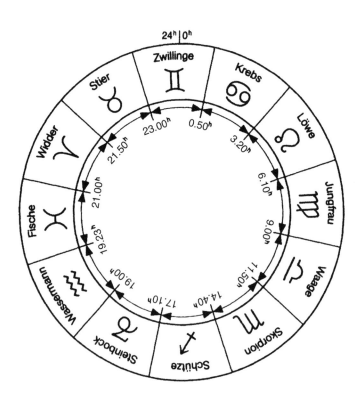

Ihr Aszendent am 7. August

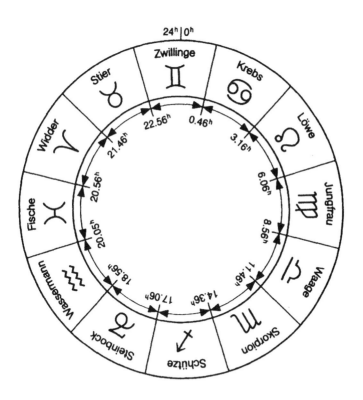

Ihr Aszendent am 8. August

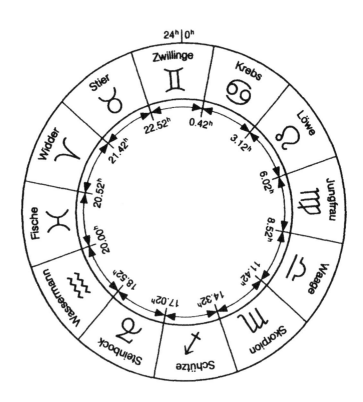

Ihr Aszendent am 9. August

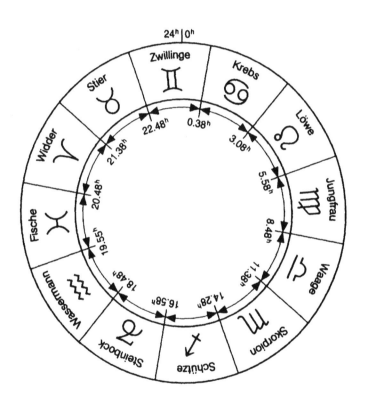

Ihr Aszendent am 10. August

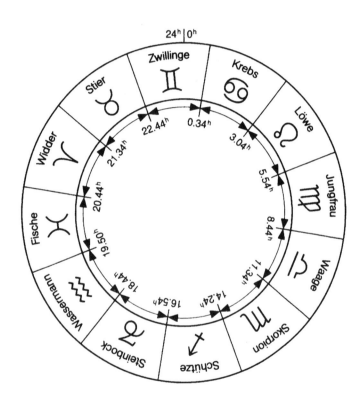

Ihr Aszendent am 11. August

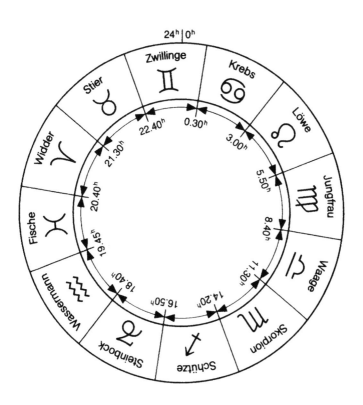

Ihr Aszendent am 12. August

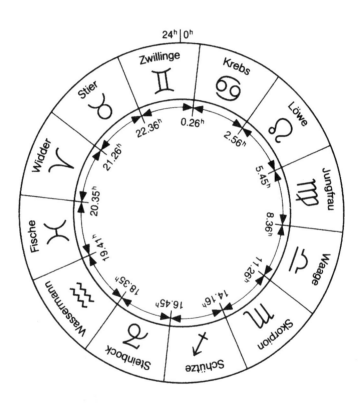

Ihr Aszendent am 13. August

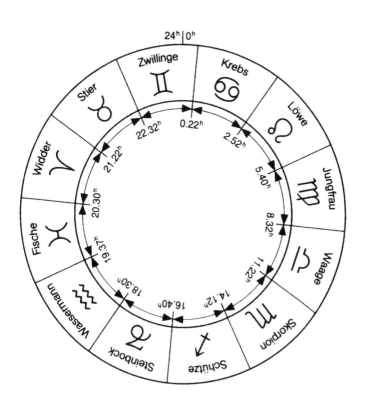

Ihr Aszendent am 14. August

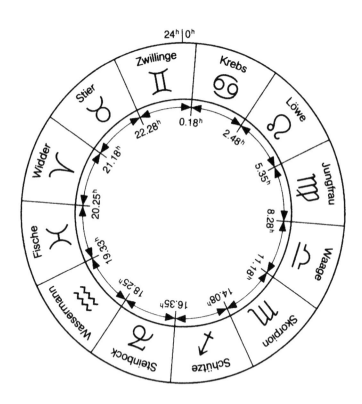

Ihr Aszendent am 15. August

Ihr Aszendent am 16. August

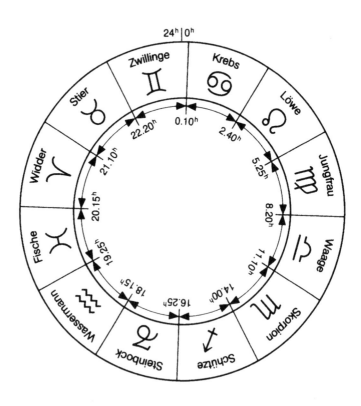

Ihr Aszendent am 17. August

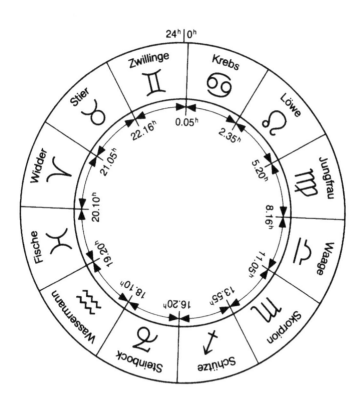

Ihr Aszendent am 18. August

Ihr Aszendent am 19. August

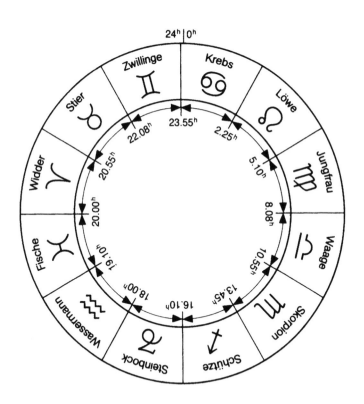

Ihr Aszendent am 20. August

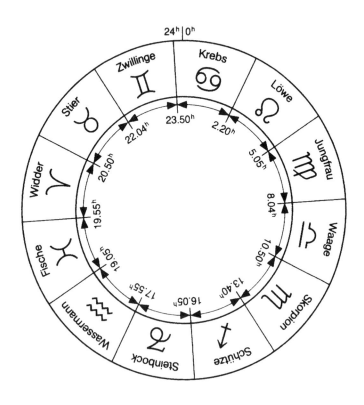

Ihr Aszendent am 21. August

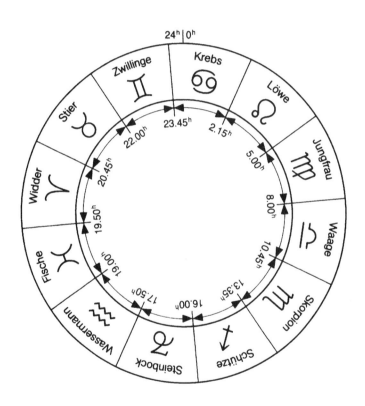

Ihr Aszendent am 22. August

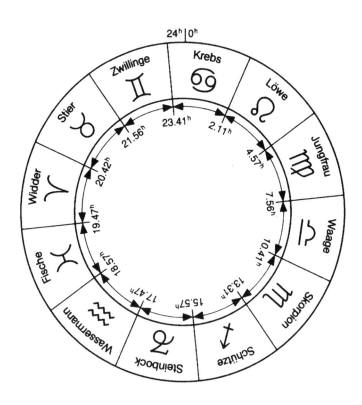

IV.
Wichtige Daten und Ereignisse

Prominente Geburtstagskinder

23. Juli
Francesco Sforza, ital. Herzog (1401-1466)
Raymond Chandler, amerik. Schriftsteller (1888-1959)
Gustav Heinemann, dt. Politiker (1899-1976)
Janheinz Hahn, dt. Schriftsteller (1918-1973)

24. Juli
Alexandre Dumas père, frz. Schriftsteller (1802-1870)
Adolphe Charles Adam, frz. Komponist (1803-1856)
Frank Wedekind, dt. Schriftsteller (1864-1918)
Vitalino Brancati, ital. Schriftsteller (1907-1954)
Hans-Jürgen Wischnewski, dt. Politiker (1922)

25. Juli
Thietmar von Merseburg, dt. Bischof (975-1018)
Christoph Scheiner, dt. Mathematiker und Astronom (1575-1650)
Carl Miele, dt. Industrieller (1869-1938)
Elias Canetti, bulg. Schriftsteller (1905-1994)

26. Juli
George Bernard Shaw, irisch. Schriftsteller (1856-1950)
André Maurois, frz. Schriftsteller (1885-1967)
Aldous Huxley, brit. Schriftsteller (1894-1963)
Stanley Kubrick, amerik. Filmregisseur (1928)
Mick Jagger, amerik. Rockmusiker (1943)

27. Juli
Alexandre Dumas fils, frz. Schriftsteller (1824-1895)
August Aichborn, österr. Pädagoge (1878-1949)
Hilde Domin, dt. Lyrikerin (1912)
Hansi Müller, dt. Fußballnationalspieler (1957)

28. Juli

Ludwig Feuerbach, dt. Philosoph (1804-1872)
Karl Popper, brit. Philosoph (1902-1994)
Selwyn Lloyd, brit. Politiker (1904-1978)
Malcolm Lowry, brit. Schriftsteller (1909-1957)
Jacqueline »Jackie« Onassis, amerik. Publizistin (1929-1994)

29. Juli

Benito Mussolini, ital. Politiker (1883-1945)
Eyvind Johnson, schwed. Schriftsteller (1900-1976)
Ernst Glaeser, dt. Schriftsteller (1902-1963)
Dag Hammerskjöld, schwed. Politiker (1905-19619
Mikis Theodorakis, griech. Komponist (1925)

30. Juli

Giorgio Vasari, ital. Maler und Baumeister (1511-1574)
Leopold Schefer, dt. Dichter (1784-1862)
Henry Ford, amerik. Industrieller (1863-1947)
Henry Moore, engl. Bildhauer (1898-1966)
Arnold Schwarzenegger, österr. amerik. Schauspieler (1947)

31. Juli

Philipp der Gute, Herzog von Burgund (1396-1467)
Friedrich Wöhler, dt. Chemiker (1800-1882)
Erich Heckel, dt. Maler (1883-1970)
Jean Dubuffet, frz. Maler und Bildhauer (1901-1985)
Thomas Haus, dt. Psychologe (1915)

1. August

Claudius Nero Germanicus, römischer Kaiser (10 v. Chr.-54)
Jan van Scorel, niederl. Maler (1495-1562)
William Clark, amerik. Entdecker (1770-1838)
Herman Melville, amerik. Schriftsteller (1819-1891)
Yves Saint-Laurent, frz. Modeschöpfer (1936)

2. August
John Tyndall, irisch. Physiker (1820-1893)
Rudolf Prack, dt. Schauspieler (1905-1981)
Karl Amadeus Hartmann, dt. Komponist (1905-1963)
Luigi Colani, dt. Designer (1924)
Peter O´Toole, irisch. Schauspieler (1932)

3. August
Friedrich Willhelm III., preuß. König (1797-1840)
Stefan Kardinal Wyszynski, poln. Kardinal (1901-1981)
Habib Ben Ali Bourguiba, tunes. Politiker (1903)
Neal Elgar, amerik. Psychologe (1909)
Martin Sheen, amerik. Schauspieler (1940)

4. August
William Rowan Hamilton, irisch. Mathematiker (1805-1865)
Knut Hansen, norweg. Schriftsteller (1859-1952)
Hans Christian Seebohm, dt. Politiker (1903-1967)
Eugen Schumacher, dt. Zoologe (1906-1973)
Guillermo Mordillo, argent. Karikaturist (1932)

5. August
Nils Hendrik Abel, norweg. Mathematiker (1802-1829)
Guy de Maupassant, frz. Schriftsteller (1850-1893)
Claud Autant-Lara, frz. Filmregisseur (1903)
Neil Armstrong, amerik. Astronaut (1930)
Rosi Mittermaier, dt. Skirennläuferin (1950)

6. August
Nicole de Malebranche, frz. Philosoph (1638-1715)
Friedrich von List, dt. Nationalökonom (1789-1846)
Jirí Weil, tschech. Schriftsteller (1900-1959)
Robert Mitchum, amerik. Schauspieler (1917)
Andy Warhol, amerik. Künstler (1928-1987)

7. August
Kaspar Aquila, dt. Theologe (1488-1560)
Mata Hari, niederl. Tänzerin und Spionin (1876-1917)
Joachim Ringelnatz, dt. Schriftsteller (1883-1934)
Ralph Johnson Bunche, amerik. Politiker (1904-1971)

8. August
Emiliano Zapata, mex. Revolutionär (1883-1919)
Ernest O. Lawrence, amerik. Physiker (1901-1958)
Dustin Hoffman, amerik. Schauspieler (1937)
Swetlana Sawizkaja, sowjet. Kosmonautin (1948)

9. August
John Dryden, engl. Dichter (1631-1700)
Robert Shaw, brit. Schauspieler (1927-1978)
Rod Laver, austral. Tennisspieler (1938)
Whitney Houston, amerik. Popsängerin (1963)

10. August
Herbert C. Hoover, amerik. Politiker (1874-1964)
Mohammed V., König von Marokko (1909-1961)
Wolfgang Paul, dt. Physiker (1913-1993)
Les Humphries, engl. Musiker (1940)

11. August
Heinrich V., dt. König (1086-1125)
Ludwig Heck, dt. Zoologe (1860-1951)
Enid Blyton, engl. Schriftstellerin (1896-1968)
Alfredo Binda, ital. Radrennfahrer (1902)

12. August
Konrad Eckhof, dt. Schauspieler (1720-1778)
Erwin Schrödinger, österr. Physiker (1887-1961)
Peter Weck, österr. Schauspieler (1930)
Pete Sampras, amerik. Tennisspieler (1971)

13. August
Karl Liebknecht, dt. Politiker (1871-1919)
Alfred Hitchcock, brit. Regisseur und Produzent (1899-1980)
Alfred Krupp von Bohlen, dt. Unternehmer (1907-1967)
Frederick Sanger, engl. Biochemiker (1918)
Fidel Castro, kuban. Politiker (1927)

14. August
Papst Pius VII. (1742-1823)
Hans Christian Ø
Hans Christian Ørsted, dän. Chemiker (1777-1851)
Margret Boveri, dt. Schriftstellerin (1900-1975)
Earvin »Magic« Johnson, amerik. Basketballspieler (1959)
Wim Wenders, dt. Filmregisseur (1945)

15. August
Napoleon, Kaiser der Franzosen (1769-1821)
Sir Walter Scott, schott. Dichter (1771-1832)
Thomas de Quincey, engl. Schriftsteller (1785-1859)
Shimon Peres, israel. Politiker (1923)
Anne, brit. Prinzessin (1950)

16. August
Albrecht II., Herzog von Österreich (1397-1439)
Jean de la Bruyère, frz. Schriftsteller (1645-1696)
Charles Bukowski, amerik. Schriftsteller (1920-1994)
Pierre Richard, frz. Schauspieler (1934)
Madonna, amerik. Popsängerin (1958)

17. August
Pierre de Fermat, frz. Mathematiker (1601-1665)
Mae West, amerik. Schauspielerin (1893-1980)
Roger Peyrefitte, frz. Schriftsteller (1907)
Robert de Niro, amerik. Schauspieler (1943)
Nelson Piquet, brasil. Automobilrennfahrer (1952)

18. August

Franz Joseph I., österr. Kaiser (1830-1916)
Peter Kreuder, dt. Komponist (1905-1981)
Edgar Faure, frz. Politiker (1908-1949)
Roman Polanski, frz. Regisseur (1933)
Robert Redford, amerik. Schauspieler (1937)

19. August

Elisabeth Stuart, engl. Prinzessin (1596-1662)
Marie Gräfin Dubarry, Maitresse Ludwigs XV. (1743-1793)
Orville Wright, amerik. Flugzeugtechniker (1871-1971)
Jerzy Andrzejwski, poln. Schriftsteller (1909)
William Jefferson »Bill« Clinton, amerik. Politiker (1946)

20. August

Charles De Coster, belg. Schriftsteller (1827-1879)
Raymond Poincaré, frz. Politiker (1860-1934)
Salvatore Quasimodo, ital. Schriftsteller (1901-1968)
Eero Saarinen, finn. Architekt (1910-1961)
Rajiv Gandhi, indisch. Politiker (1944-1991)

21. August

Philipp II. August, König von Frankreich (1165-1223)
Franz von Sales, frz. Theologe und Schriftsteller (1567-1622)
William Murdock, engl. Ingenieur (1754-1839)
Christian Schad, dt. Maler (1894-1982)
Karl Storch, dt. Hammerwerfer (1913)

22. August

Claude Debussy, frz. Komponist (1862-1918)
Gorch Fock, dt. Schriftsteller (1880-1916)
Leni Riefenstahl, dt. Regisseurin und Fotografin (1902)
Wolfdietrich Schnurre, dt. Schriftsteller (1920-1989)
Karlheinz Stockhausen, dt. Komponist (1928)

Ereignisse, die Geschichte machten

23. Juli

1532   Den Protestanten wird unter Karl V. die freie Religions-
ausübung zugestanden.

1588   Die spanische Armada unterliegt der englischen Flotte
unter Sir Francis Drake.

1995   Der spanische Radfahrer Miguel Indurain gewinnt die
Tour de France zum fünften Mal seit 1990.

24. Juli

1942   Benito Mussolini wird das Vertrauen des faschistischen
Großrats entzogen.

1953   Die SED wählt Walter Ulbricht zum Ersten Sekretär
der Partei.

1992   Südafrika nimmt erstmals seit 1960 an Olympischen
Spielen teil.

25. Juli

1456   Mit dem Ulmer Münster wird die größte Pfarrkirche
Deutschlands eingeweiht.

1932   Der österreichische Bundeskanzler Engelbert Dollfuß
fällt einem Putschversuch der Nationalsozialisten zum
Opfer, welcher jedoch scheitert.

1968   Papst Paul VI. verbietet den Gebrauch der Pille.

26. Juli

1932   Das Schulschiff »Niobe« der deutschen Reichsmarine
kentert, 69 Matrosen kommen um.

1945   Nach dem Wahlsieg der Labour Party in England
tritt der konservative Premier Winston Churchill zurück.

1978   Das erste Baby aus der Retorte wird in London zur
Welt gebracht.

27. Juli

1953   Durch die Trennung in einen kommunistischen Norden und einen kapitalistischen Süden wird der Koreakrieg beendet.

1976   650 000 Chinesen fallen einem Erdbeben in der nordchinesischen Stadt Tangschan zum Opfer.

1980   In Kairo stirbt der gestürzte Schah von Persien, Mohammed Resa Pahlawi.

28. Juli

1794   Maximilien Robespierre, Führer der Französischen Revolution, wird durch die Guillotine hingerichtet.

1928   Zum ersten Mal in der Geschichte werden Frauen bei Olympischen Spielen zugelassen.

1981   Die Baghwan-Sekte verlegt ihr Hauptquartier von Indien in die USA.

29. Juli

1921   In München wählt die NSDAP Adolf Hitler zu ihrem Parteivorsitzenden.

1958   Gründung der amerikanischen Luft- und Raumfahrtbehörde NASA

1981   Hochzeit des britischen Thronfolgers Prinz Charles mit Lady Diana Spencer in London

1990   Der österreichische Altbundeskanzler Bruno Kreisky verstirbt im Alter von 79 Jahren.

30. Juli

101 v.Chr. In einer Schlacht bei Vercellae bezwingt der römische Feldherr Gaius Marius den auf Rom marschierenden Germanenstamm der Kimber.

1898   Tod des ehemaligen Reichskanzlers Otto Fürst von Bismarck

1966   Durch das umstrittene »Wembley-Tor« wird Gastgeber England Fußballweltmeister.

31. Juli

1834   In Valencia wird zum letzten Mal ein Ketzer im Rahmen der Inquisition hingerichtet.

1914   Ermordung des französischen Friedenskämpfers Jean Jaurès

1932   Bei der Reichstagswahl wird die NSDAP mit 37,4% der Stimmen stärkste Fraktion.

1. August

1714   Der Hannoveraner Kurfürst Georg Willhelm besteigt als Georg I. den großbritannischen Thron.

1917   Beginn der Prohibition in den USA, welche Herstellung und Vertrieb von Alkohol verbietet.

1976   Formel-1 - Pilot Niki Lauda verunglückt auf dem Nürburgring und erleidet schwere Verbrennungen.

1981   Erfolgreicher Start des Musiksenders MTV

2. August

216 v.Chr.   Der karthagische Feldherr Hannibal fügt den Römern die größte Niederlage ihrer Geschichte zu.

1945   Im Potsdammer Abkommen wird über die Entmilitarisierung und die Zukunft des besiegten Deutschlands entschieden.

1990   Auf Befehl ihres Präsidenten Saddam Hussein fallen irakische Truppen in Kuwait ein.

3. August

1778   Einweihung der Mailänder Scala, das in klassischem Stil gebaute Opernhaus.

1914   Deutsche Truppen fallen im neutralen Belgien ein, gleichzeitig erfolgt die Kriegserklärung an Frankreich.

1941   In einer mutigen Predigt verurteilt der Bischof von Münster, Clemens von Galen, die Euthanasie-Praktiken der Nationalsozialisten.

4. August

1704   Im Zuge des spanischen Erbfolgekrieges besetzt die britische Flotte Gibraltar, welches fortan zu Großbritannien gehört.

1957   Der Argentinier Juan Manuel Fangio erringt zum fünften Mal den Weltmeistertitel der Formel 1.

1964   Der amerikanische Präsident Johnson befiehlt die Bombardierung Nordvietnams und beginnt den bis 1973 andauernden Vietnamkrieg.

5. August

1718   Unter Prinz Eugen besiegt Österreich bei Peterwardein die türkische Armee.

1958   Die amerikanische Schauspielerin Marilyn Monroe wird in ihrer Wohnung tot aufgefunden, die Diagnose auf Selbstmordes bleibt jedoch umstritten.

1994   Nach schweren Unruhen in Kuba flüchten Menschenmassen über den Seeweg in die USA.

6. August

1791   Fertigstellung des Brandenburger Tors

1926   Als erste Frau durchschwimmt die deutsche Gertrude Ederle den Ärmelkanal.

1945   Die USA setzen die Atombombe über der japanischen Stadt Hiroshima ein, 200 000 Menschen sterben.

7. August

1869   In Eisenach gründen August Bebel und Wilhelm Liebknecht die SDAP, aus der die später die SPD hervorgeht.

1941   Josef Stalin vereint auf seine Person die gesamte poltitische und militärische Macht der Sowjetunion.

1983   In Helsinki findet die erste Leichtathletik-Weltmeisterschaft statt.

8. August

1925   Erste nationale Tagung des Ku-Klux-Klans in Washington.

1944   Generalfeldmarschall Erwin von Witzleben wird nach einem gescheiterten Attentat auf Adolf Hitler hingerichtet.

1948   Zum siebten Mal gewinnt der 1.FC Nürnberg mit einem 2:1 über den 1.FC Kaiserslautern die Deutsche Fußballmeisterschaft.

1974   Der amerikanische Präsident Richard Nixon tritt wegen seiner Verwicklung in den Watergate-Skandal zurück.

9. August

1896   Der deutsche Flugingenieur Otto Lilienthal verunglückt bei einem Flug und erliegt seinen Verletzungen.

1900   Die Tennismannschaft der USA gewinnt das erste Finale um den Davis-Cup.

1945   Mit dem Abwurf einer Atombombe auf Nagasaki bewirken die USA die Kapitulation Japans.

1969   Die amerikanische Schauspielerin Sharon Tate wird Mordopfer der Sekte von Charles Manson.

10. August

1793   In Paris wird der Louvre, ehemals Schloss der französischen Könige, als Museum eröffnet.

1913   Mazedonien wird unter Griechenland und Serbien aufgeteilt.

1988   Für die Rekordablösesumme von 20 Mio. Dollar wechselt der Star des amerikanischen Eishockeys, Wayne Gretzky, den Verein.

1995   Das Kruzifixurteil des Karlsruher Verfassungsgerichts löst vor allem im katholischen Bayern Unmut aus.

11. August

1919	Die Weimarer Verfassung wird vom Reichspräsidenten Friedrich Ebert unterzeichnet und tritt in Kraft.
1965	Bei Rassenunruhen sterben in Los Angeles 35 Menschen, 800 werden verletzt, die Unruhen können erst am 17. August beendet werden.
1965	Deutschland und Israel nehmen diplomatische Beziehungen auf.

12. August

1859	Mit einem Erdölfund in Pennsylvania wird in den USA ein Erdölboom ausgelöst.
1969	Der Konflikt in Nordirland verhärtet sich, bei Straßenschlachten zwischen Protestanten und Katholiken kommen neun Menschen ums Leben.
1984	Der amerikanische Leichtathlet Carl Lewis gewinnt bei den XXIII. Olympischen Spielen vier Goldmedaillen.

13. August

1521	Kapitulation der Azteken bei Tenochtitlán
1905	Bei einem Volksentscheid optieren die Norweger für eine Loslösung von Schweden.
1961	Beginn des Mauerbaus in Berlin

14. August

1893	In Frankreich wird erstmals eine Führerscheinprüfung obligatorisch.
1912	Intervention der USA in Nicaragua zugunsten des konservativen Staatschefs José Santos Zelaya.
1945	Der französische Politiker Phillipe Pétain wird von einem Kriegsgericht wegen Kollaboration mit den Deutschen zur Todesstrafe verurteilt.
1989	Präsident De Klerk führt in Südafrika Reformen zur Lockerung der Apartheid ein.

15. August

778   Bei der Schlacht von Roncevalles fällt der bretonische Markgraf Roland.

1914   Eröffnung des Panama-Kanals

1969   500.000 Hippies besuchen das Woodstock-Festival.

16. August

1819   In Manchester wird eine Massendemonstration von Textilarbeitern blutig niedergeschlagen.

1926   Chaplins »Goldrausch« kommt in die Kinos.

1977   Elvis Presley erliegt in Memphis einer Herzattacke.

1987   Erstmals steht mit Steffi Graf eine Deutsche auf Platz eins der Damentennis-Weltrangliste.

17. August

1943   Alliierte Streitkräfte bringen Sizilien unter ihre Kontrolle.

1956   Ein Urteil des Bundesverfassungsgerichts erklärt die KPD als verfassungswidrig.

1987   Rudolf Heß begeht im Spandauer Gefängnis Selbstmord.

18. August

1944   Die Nazis ermorden im KZ Buchenwald den Kommunisten Ernst Thälmann.

1959   Der Austin »Mini« Cooper erregt das Interesse der Automobilwelt.

1960   Die Antibabypille kommt auf den Markt.

19. August

14   Tiberius wird römischer Kaiser und sichert die Grenzen des Reiches.

1942   Ein alliierter Landungsversuch bei Dieppe wird von den Deutschen zurückgeschlagen.

20. August

1866   Gründung der ersten Gewerkschaft in Baltimore, USA

1940   Ermordung des russischen Revolutionärs Trotzki im mexikanischen Asyl

1952   Der Vorsitzende der SPD, Kurt Schumacher, stirbt in Berlin.

1968   Sowjetische Panzer beenden brutal den Prager Frühling.

21. August

1911   Das Gemälde »Mona Lisa« wird aus dem Pariser Louvre geraubt.

1959   Hawaii wird amerikanischer Bundesstaat.

1966   Die »Rote Garden« terrorisieren Chinas Straßen, werden jedoch von Maos Volksarmee niedergeschlagen.

1983   Auf dem Flughafen von Manila, Phillipinen, wird auf den Oppositionsführer Benigno Aquino ein tödliches Attentat ausgeübt.

22. August

1864   Gründung der Hilfsorganisation »Rotes Kreuz« zum Schutze verwundeter Soldaten.

1910   Japan nimmt Korea ein, die Besatzung dauert bis 1945.

1920   Zum ersten Mal finden in Salzburg die berühmten Salzburger Festspiele statt.

1954   Auf dem »Silberpfeil« von Mercedes gewinnt Juan Manuel Fangio zum dritten Mal die Automobilweltmeisterschaft.

1991   Dreitägiger Putschversuch im Moskauer Kreml endet erfolglos.

1992   In Rostock terrorisieren rechtsradikale Jugendliche unter Beifall der Bevölkerung ein Asylbewerberheim.